9급 전 직렬 공무원 시험 대비!

2023 *New* **심우철 구문**

600제

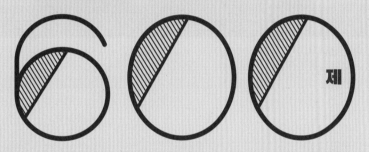

구문을 정복하면 영어가 쉬워집니다

| 심우철 지음 |

구문분석집

공무원 영어의 기본은
탄탄한 구문 실력

체계적인 구문 학습을 통한
독해 능력 향상

직독직해, 끊어 읽기 및
상세한 구문 분석 수록

2023 New 심우철 구문

구문분석 **Table**

대문자	주절	변형
S	주어	S_1, S_2, S_3
V	동사	V_1, V_2, V_3
SC	주격 보어	SC_1, SC_2, SC_3
OC	목적격 보어	OC_1, OC_2, OC_3
O	목적어	O_1, O_2, O_3
IO	간접목적어	IO_1, IO_2, IO_3
DO	직접목적어	DO_1, DO_2, DO_3

대문자	종속절	변형
S	주어	S_1, S_2, S_3
V	동사	V_1, V_2, V_3
SC	주격 보어	SC_1, SC_2, SC_3
OC	목적격 보어	OC_1, OC_2, OC_3
O	목적어	O_1, O_2, O_3
IO	간접목적어	IO_1, IO_2, IO_3
DO	직접목적어	DO_1, DO_2, DO_3

기타표기	
as, -er than	상관접속사, 비교급
that	명사절 접속사
< >	명사절, 동격절
( )	부사, 부사구
[ ]	수식어구
that	관계대명사, 관계부사
while	부사절 접속사
(it was), (that)	생략
the place	선행사
having	분사구문
and, or, but	등위접속사
to stop to부정사(목적)	부사적 용법의 to부정사

Contents

2023 *New* 심우철 구문

600제

PART 01

문장 구조편

Pattern 01 구와 절은 영어의 핵심

01.

The invention of the inexpensive microchip has made computers affordable (to many
 S   V   O   OC
people).

직독직해 비싸지 않은 마이크로칩의 발명은 / 만들어 왔다 / 컴퓨터를 / 구매 가능하도록 / 많은 사람들에게

해　　석 저렴한 마이크로칩의 발명은 컴퓨터가 많은 사람들에게 구매 가능하도록 만들어왔다.

02.

Social scientists say <that this change (in the family) is one of the important changes
 S   V   O   S   V   SC
(from a traditional society) (to a modern society)>.

직독직해 사회 과학자들은 말한다 / 가족 안에서 생기는 이러한 변화가 / 중요한 변화들 중의 하나라고 / 전통적인 사회에서 / 현대의 사회로의

해　　석 사회 과학자들은 가족 안에서 생기는 이러한 변화가 전통적인 사회에서 현대의 사회로의 중요한 변화들 중의 하나라고 말한다.

03.

Becoming good (at handling information) is going to be one of the most important
 S   V   SC
skills of the twenty-first century, not just (in school) but (in the real world).

직독직해 정보를 다루는 데 능숙하게 되는 것은 / 될 것이다 / 21세기의 가장 중요한 기술 중 하나가 / 학교에서뿐만 아니라 / 실제 세상에서도

해　　석 정보를 다루는 데 능숙하게 되는 것은 학교에서뿐만 아니라 실제 세상에서도 21세기의 가장 중요한 기술 중 하나가 될 것이다.

04.

Peter Carson, chief executive of Brinksmann, also expects <**that** its new technology
 S   V   O   S
(for manufacturing small batches of books) will enable the new company to sell more
                                             V   O   OC
books (to Spanish speakers) (in the United States, Canada, and elsewhere)>.

직독직해 Brinksmann의 사장인 Peter Carson 씨는 / 또한 예상한다 / 소량의 책을 제작하기 위한 새 기술은 / 가능하게 할 거라고 / 새 회사가 / 더 많은 책을 판매하도록 / 스페인어 사용자들에게 / 미국과 캐나다, 그리고 기타 지역에 있는

해 석 Brinksmann의 사장인 Peter Carson 씨는 소량의 책을 제작하기 위한 새 기술은 새 회사가 미국과 캐나다, 그리고 기타 지역에 있는 스페인어 사용자들에게 더 많은 책을 판매하는 것을 가능하게 할 거라고 또한 예상한다.

05.

one of the most beguiling aspects of cyber space – 명사구
명사   명사구

해 석 사이버 공간의 가장 매력적인 측면 중의 하나

06.

the best way of describing the ex-communist region – 명사구
명사구   명사구

해 석 옛 공산주의 지역을 묘사하는 최고의 방법

07.

a basic understanding of the different types of cloning – 명사구
명사구   명사구

해 석 복제의 서로 다른 유형에 대한 기초적인 이해

08.

the viability of reclaimed water (for indirect potable reuse) – 명사구
명사   명사구   부사구

해 석 2차적인 식수의 재사용에 대한 재생수의 실행 가능성

09.

the European political theorists of the eighteenth century – 명사구
명사구   명사구

해 석 18세기 유럽의 정치이론가

10.

(by synthesizing the different components of the sound waves) – 부사구
  전치사 명사구   명사구

해 석 음파의 다른 요소들을 합성함으로써

11.

(by measuring the directions (to planets) (at different parts of their orbits)) – 부사구
  전치사 명사구   부사구   부사구

해 석 그들 궤도들의 다른 부분에서 행성들을 향한 방향들을 측정함으로써

12.

reading one of those historical accounts of the emergence of the human species – 명사구
명사구   명사구   명사   명사구

해 석 인류의 출현의 그런 역사적 기록들 중 하나를 읽는 것

13.

their creation of a new family (by symbolically sweeping away of their former single
명사구   부사구
lives) – 명사구

해 석 그들의 이전 독신 생활을 상징적으로 없애버림으로써의 새로운 가족 창조

14.

To like many people (spontaneously) and (without effort) is (perhaps) the greatest of
— S ———————————————————————————————— V ———————— SC
all sources of personal happiness.

직독직해 많은 사람들을 좋아하는 것은 / 자연스럽게 / 그리고 / 애쓰지 않고 / 아마도 개인적인 행복의 모든 원천들 중 가장 큰 것이다

해　　석 자연스럽게 그리고 애쓰지 않고 많은 사람들을 좋아하는 것은 아마도 개인적인 행복의 모든 원천들 중 가장 큰 것이다.

15.

Note-taking is the best way [to remember <**what** you were taught> or <**what** you
— S ——— V ——— SC ——————————— V ——————— O₁ ——————————————— O₂
have read>].

직독직해 필기하는 것은 / 가장 좋은 방법이다 / 기억하는 / 당신이 가르침 받았던 것 혹은 읽었던 것을

해　　석 필기하는 것은 당신이 가르침 받았던 것이나 읽었던 것을 기억하는 데 가장 좋은 방법이다.

16.

Predicting interview questions and thinking about answers (in advance) will help you
— S —— V ——— O
feel (more) confident.
— OC

직독직해 면접 질문을 예상하고 대답을 생각하는 것은 / 미리 / 도울 것이다 / 당신이 / 좀 더 자신감을 가질 수 있도록

해　　석 면접 질문을 예상하고 대답을 미리 생각해 보는 것은 당신이 좀 더 자신감을 가질 수 있도록 도울 것이다.

17.

(Since the decipherment of the writing system) (in the third decade of the last
century), the language has been among the most thoroughly researched areas of
— S ————— V ——————— SC ———————————————————————————————
Egyptology.

* the third decade of: ~의 20년대

직독직해 문자 체계의 해독 이후로 / 지난 세기의 20년대 / 그 언어는 / 되어 왔다 / 이집트학에서 가장 철저히 연구되는 영역 중의 하나가

해　　석 1920년대 문자 체계의 해독 이후로, 그 언어는 이집트학에서 가장 철저히 연구되는 영역 중의 하나가 되어 왔다.

18.

The number of foreigners [interested in the Korean language] has increased
(dramatically) (over the past few years) (because of the success of Korean firms
(overseas) and growing interest (in Korean culture)).

직독직해 외국인의 숫자는 / 한국어에 관심이 있는 / 증가해 왔다 / 급격하게 / 지난 몇 년에 걸쳐 / 해외에서의 한국 회사들의 성공과 / 한국 문화에 대한 증가하는 관심 때문에

해 석 한국어에 관심이 있는 외국인의 숫자는 해외에서의 한국 회사들의 성공 그리고 한국 문화에 대한 증가하는 관심 때문에 지난 몇 년에 걸쳐 급격하게 증가해 왔다.

19.

The separation of conventional medicine, [based on drugs and surgery], and alternative
medicine (really) occurred (in the early 20th century).

직독직해 분리는 / 전통 의학과 / 약과 수술에 기반한 / 대체 의학의 / 실제로 일어났다 / 20세기 초에

해 석 약과 수술에 기반한 전통 의학과 대체 의학의 분리는 실제로 20세기 초에 일어났다.

20.

All of us have had the experience of not being able to find the right words [to get
across our meaning], (the experience) of being misunderstood, or (the experience) of
생략   생략
finding <that we don't make ourselves clear>.
       S V   O   OC

직독직해 우리 모두는 / 가진 적이 있다 / 적절한 말을 찾지 못하는 경험을 / 우리의 의미를 이해시킬 수 있는 / 또는 오해를 받는 경험을 / 또는 자신이 말하고자 하는 바를 분명하게 하지 못하는 것을 발견하는 경험을

해 석 우리 모두는 우리의 의미를 이해시킬 수 있는 적절한 말을 찾지 못하거나 오해를 받거나 자신이 말하고자 하는 바를 분명하게 하지 못하는 것을 발견하는 경험을 가진 적이 있다.

21.

(Unfortunately), (however), <u>poor conditions</u> (in the urban areas), (such as lack of
_S
housing, worsening sanitation and unemployment), <u>bring about</u> <u>an increase</u> (in
_V _O
poverty, disease and crime).

직독직해 불행하게도 / 그러나 / 열악한 환경은 / 도시 지역 내의 / 주택 부족, 위생 설비의 악화 그리고 실업과 같은 / 초래한다 / 증가를 / 빈곤, 질병 그리고 범죄의

해 석 그러나 불행하게도 주택 부족, 위생 설비의 악화 그리고 실업과 같은 도시의 열악한 환경이 빈곤, 질병 그리고 범죄의 증가를 초래한다.

22.

<u>The explosive growth of world-population</u> <u>has not been caused</u> (by a sudden increase)
_S _{V₁}
(in human fertility), and (probably) <u>owes little</u> (in any part of the world) to an increase
_{V₂}
(in birthrate).

* owe A to B: B에게 A를 빚지고 있다

직독직해 세계 인구의 폭발적인 증가는 / 야기되지 않았다 / 인간 번식의 급증에 의해 / 그리고 아마 / 거의 빚지지 않았다 / 세계 어느 지역에서도 / 출산율의 증가에

해 석 세계 인구의 폭발적인 증가는 인간 번식의 급증에 의해 야기되지 않았고, 그리고 아마 세계 어느 지역에서도 출산율의 증가에 원인을 두진 않았다.

23.

(In addition), <u>the intense volume of some popular music</u>, (especially) heavy metal
_S _{부연 설명}
rock music, <u>has resulted in</u> <u>the loss of some</u> or all of the hearing (of a few musicians
_V _O
and members of their audiences).

직독직해 게다가 / 몇몇 대중 음악의 격렬한 음량은 / 특히 헤비메탈 록 음악은 / 결과를 낳았다 / 몇몇 음악가들이나 그 청중들의 청각의 완전하거나 부분적인 손실을

해 석 게다가 몇몇 대중 음악, 특히 헤비메탈 록 음악의 격렬한 음량은 몇몇 음악가들이나 그 청중들의 청각의 완전하거나 부분적인 손실을 가져왔다.

24.

(According to psychologist Howard Gardner), the traditional view of intelligence (as a uniform capacity [to solve problems and think logically]) is not only unfair (to those [who haven't got it]), but it is incorrect.

직독직해 심리학자 Howard Gardner에 따르면 / 지식의 전통적인 관점은 / 문제를 해결하고 논리적으로 사고하는 일률적인 능력으로서 / 불공정할 뿐 아니라 / 그것을 가지지 않은 사람들에게 / 옳지도 않다

해석 심리학자 Howard Gardner에 따르면 문제를 해결하고 논리적으로 사고하는 일률적인 능력으로서 지식을 보는 전통적 관점은 그것을 가지지 않은 사람들에게 불공정할 뿐 아니라 옳지도 않다.

25.

The new knowledge and the new techniques [developed (in biological research) (over recent decades)] have (slowly) begun to provide understanding of human disease and the hope of definitive therapeutic and preventive measures.

직독직해 새로운 지식과 새로운 기술은 / 생물학 연구에서 최근 수십 년 동안 개발된 / 서서히 제공하기 시작하였다 / 인간의 질병에 대한 이해와 / 확실한 치료상의 조치와 예방 조치의 희망을

해석 최근 수십 년 동안에 생물학 연구에서 개발된 새로운 지식과 기술은 인간의 질병에 대한 이해와 확실한 치료상의 조치와 예방 조치의 희망을 서서히 제공하기 시작하였다.

26.

Persons (with great potential ability) (sometimes) fall down (on the job) (because of laziness or lack of interest (in the job)), *while* persons (with mediocre talents) have (often) achieved excellent results (through their industry and their loyalty (to the interests of their employers)).

직독직해 훌륭한 잠재적 능력을 가진 사람들은 / 때때로 / 뒤처진다 / 직장에서 / 게으름이나 업무에 대한 흥미의 결여 때문에 / 반면에 평범한 재능을 가진 사람들은 / 종종 성취해왔다 / 훌륭한 결과를 / 그들의 근면과 고용주의 이익에 대한 충성심을 통해

해석 훌륭한 잠재적 능력을 가진 사람들이 게으름이나 일에 대한 흥미의 결여 때문에 때때로 직장에서 뒤떨어지는 반면에, 평범한 재능을 가진 사람들은 그들의 근면과 고용주의 이익에 대한 충성심을 통해 훌륭한 결과를 종종 성취해왔다.

27.

(One time) a person on my team came (to me) (with a problem) [that she was having
　　　　　　S　　　　　　　　V　　　　　　　　　　　　　　　　　O관·대 S　V
at work].

`직독직해` 한 번은 / 우리 팀원 중 한 명이 / 나에게 왔다 / 자신의 업무 문제를 가지고

`해　석` 한 번은 우리 팀원 중 한 명이 자신의 업무 문제를 가지고 나에게 왔다.

28.

The front pages of newspapers tell of the disintegration of the social fabric, and the
S　　　　　　　　　　　　V　　O1　　　　　　　　　　　　　　　　　　　　　O2
resulting atmosphere of anxiety [in which we all live].
　　　　　　　　　　　　　　　　전O관·대　S　동격　V

`직독직해` 신문의 첫 페이지들은 / 알려 준다 / 사회조직의 붕괴와 그 결과로 조성되는 불안한 분위기에 대해 / 〈그런데 그 분위기 안에서〉 우리 모두가 살고 있다

`해　석` 신문의 첫 페이지들은 사회조직의 붕괴와 그 결과로 조성되는 우리 모두가 살고 있는 불안한 분위기에 대하여 알려 준다.

29.

There (still) remain many issues [to be resolved] (even) (after her lifelong devotion) (to
　　　　　　V　　　　S
the poor and helpless) (in this obscure village).

`직독직해` 여전히 남아있다 / 많은 문제들이 / 해결되어야 할 / 심지어 / 그녀의 평생의 헌신 후에도 / 가난하고 무력한 사람에 대한 / 이 벽촌에는

`해　석` 심지어 그녀의 가난하고 무력한 사람에 대한 평생의 헌신 후에도 이 벽촌에는 해결되어야 할 많은 문제들이 여전히 남아있다.

30.

Increased leisure and the lack of outlet for violent instincts (in modern urban life)
S
made for an aimless type of violence (among teenagers), [which aroused emotional
V   O   계속적 용법   V   O
sympathy (among intellectuals)].

직독직해 증가한 여가와 배출 수단의 결핍은 / 폭력적인 본능에 대한 / 현대 도시 생활에서 / 초래했다 / 목적 없는 유형의 폭력을 / 십 대들 사이에서 / 〈그런데 그것은〉 정서적 공감을 불러일으켰다 / 지식인들 사이에서

해석 현대 도시 생활에서 늘어난 여가와 폭력적인 본능에 대한 배출 수단의 결핍은 십 대들 사이에서 목적 없는 유형의 폭력을 초래했고, 이는 지식인들 사이에서 정서적 공감을 불러일으켰다.

31.

When he retires, Professor Jones will have been teaching (here) (for over thirty years),
S   V   S₁   V₁
but his classes are (never) dull.
   S₂   V₂   SC₂

직독직해 그가 / 퇴직할 때 / Jones 교수는 / 가르쳐 오게 되는 것이다 / 여기서 30여 년 넘게 / 그러나 그의 수업은 / 결코 지루하지 않다.

해석 그가 퇴직할 때 Jones 교수는 여기서 30여 년 넘게 가르쳐 오게 되는 것이지만, 그의 수업은 결코 지루하지 않다.

S + V + SC

32.

Jupiter is the fifth planet (from the Sun) and the biggest planet of the solar system.
　　　　S　　V　SC₁　　　　　　　　　　　　　　　　SC₂

직독직해 목성은 / 태양으로부터 5번째 행성이고 / 태양계의 가장 큰 행성이다

해　석 목성은 태양으로부터 5번째 행성이고, 태양계의 가장 큰 행성이다.

33.

(At that time) he was not (yet) married, but got married (two years later).
　　　　　　　S　V₁　　　　　SC₁　　　　V₂　SC₂

직독직해 그 당시에는 / 그가 / 아직 미혼이었지만 / 결혼하게 되었다 / 2년 뒤에

해　석 그 당시에는 그가 아직 미혼이었지만, 2년 뒤에 결혼하게 되었다.

34.

The young girl felt accustomed to living (in the new society) and got taught a lot of
S　　　　　V₁　SC₁　　　　　　　　　　　　　　　　　V₂　　　O₂

customs and manners.

직독직해 그 어린 소녀는 / 익숙해졌다고 느꼈다 / 사는 것에 / 새로운 사회에서 / 그리고 / 배웠다 / 많은 관습과 예의범절을

해　석 그 어린 소녀는 새로운 사회에서 사는 데 익숙해졌다고 느꼈으며, 많은 관습과 예의범절을 배웠다.

35.

The greatest barriers (to high level of performance or reaching your potential) are
S　　　　　　　　　　　　　　　　　　　　　　　　　　　　　　　　　　　　V

mental barriers [that we impose (upon ourselves)].
SC　　　　　　O관·대 S　V

직독직해 가장 큰 장벽들은 / 높은 수준의 성과나 당신의 잠재력에 이르는 데 있어 / 정신적인 장벽들이다 / 우리가 우리 스스로에게 부과하는

해　석 높은 수준의 성과나 당신의 잠재력에 이르는 데 있어 가장 큰 장벽은 우리가 우리 스스로에게 부과하는 정신적인 장벽이다.

36.

A keen consciousness (on the part of the general public) (as to the role of the
S
newspaper) is a prerequisite (to the successful maintenance of a democratic society).
V   SC

직독직해 날카로운 의식은 / 일반 대중들이 갖는 / 신문의 역할에 관하여 / 필수조건이다 / 민주주의 사회의 성공적인 유지에 있어

해　석 신문의 역할에 대해 일반 대중들이 갖는 날카로운 의식은 민주 사회의 성공적인 유지에 필수적인 조건이다.

37.

The first impression [given by the clothes] [(that) many young people wear (these
S   (O관·대 생략) S1   V1
days) (for any and all occasions)] is one of conformity and uniformity *as if* they felt
V   SC   S2   V2
obliged to adorn themselves in the same style.
SC2

직독직해 첫인상은 / 옷에 의해 주어지는 / 많은 젊은이들이 입는 / 요즘 / 어떤 경우에도 / 순응적이고 획일적인 것 중의 하나이다 / 마치 그들이 / 느낀 것처럼 / 동일한 스타일로 꾸밀 의무가 있다고

해　석 요즘 많은 젊은이들이 어떤 경우에도 입는 옷에 의해 주어지는 첫인상은 마치 동일한 스타일로 자신을 꾸밀 의무가 있다고 느낀 것처럼 순응적이고 획일적인 것 중 하나이다.

38.

The lasting fascination of the Robinson Crusoe myth is due to its attempt [to imagine
S   V   SC
an individual [(which is) independent of society]].
              (S관·대 + be동사 생략)

직독직해 로빈슨 크루소 신화에 대한 계속되는 흥미는 / 시도 때문이다 / 사회와 동떨어진 개인을 상상하려는

해　석 로빈슨 크루소 신화에 대한 계속되는 흥미는 사회로부터 동떨어진 개인을 상상하려는 시도 때문이다.

39.

Effective analysis and recognized techniques can bring about a great improvement.
S V O

직독직해 효과적인 분석과 공인 받은 기술이 / 가져올 수 있다 / 큰 발전을

해 석 효과적인 분석과 공인 받은 기술이 큰 발전을 가져올 수 있다.

40.

The democratic ideals of the young country demanded direct responsibility (to the
S V O₁
people) and a direct benefit (to society).
O₂

직독직해 신생 국가의 민주주의적 이상은 / 요구했다 / 직접적인 책임을 / 사람들에게 / 그리고 직접적인 혜택을 / 사회에

해 석 신생 국가의 민주주의적 이상은 사람들에게 직접적인 책임을, 그리고 사회에 직접적인 혜택을 요구했다.

41.

The period of quarantine depends on the amount of time [(which is) necessary (for
S V O (S관·대 + be동사 생략)
protection) (against the spread of a particular disease)].

직독직해 격리의 기간은 달려 있다 / 시간의 양에 / 보호를 위해 필요한 / 특정 질병의 확산에 대항하여

해 석 격리 기간은 특정 질병의 확산에 대항하여 보호하기 위해 필요한 시간의 양에 달려 있다.

42.

(However), (a month later), the U.S. Olympic committee took away his medals
S V O
because Thorpe had played baseball (for money).
S V O

직독직해 그러나 한 달 후에 / 미국 올림픽 위원회는 / 박탈하였다 / 그의 메달들을 / 왜냐하면 Thorpe가 / 야구를 했었기 때문이다 / 돈을 받고

해 석 그러나 한 달 후에 미국 올림픽 위원회는 그의 메달들을 박탈하였는데, 왜냐하면 Thorpe가 돈을 받고 야구를 했었기 때문이다.

43.

The Vietnamese Communist regime, [(long) weakened (by regionalism and
S
corruption)], can (barely) control the relentless destruction of the country's forests.
                V   O

직독직해 베트남 공산주의 정권은 / 오랫동안 약해진 / 지역주의와 부패에 의해 / 거의 막을 수 없다 / 그 나라 삼림의 가치 없는 파괴를

해 석 지역주의와 부패로 오랜 시간 동안 약해진 베트남 공산주의 정권은 국가 삼림의 가치 없는 파괴를 거의 막을 수 없다.

44.

(According to interviews) (in a *Ms*. magazine) (with women) [who have undergone
                                                              S관·대 V1
breast implant surgery], many women felt effects (like crippling fatigues, joint pain,
O1   S   V   O
and irritable skin [which leads to skin rashes]).
                    S관·대 V2   O2

직독직해 인터뷰들에 따르면 / 잡지 '미즈'에서 / 여성들과의 / 유방 확대 수술을 했던 / 많은 여성들은 느꼈다 / 증상을 / 심각한 피로, 관절 통증, 그리고 예민한
피부와 같은 / 〈그런데 그 예민한 피부는〉 피부발진을 일으킨다

해 석 잡지 '미즈'에서 유방 확대 수술을 경험한 여성들을 대상으로 진행한 인터뷰들에 의하면 많은 여성들은 극심한 피로와 관절 통증, 피부발진을 일으키
는 예민한 피부 같은 증상을 느꼈다.

45.

(Similarly), many physicians were recommending daily vitamin E supplements
            S1   V1   O1
(to lower heart disease risk), but results of a recent study showed possible cause
to부정사(목적)   S2   V2   O2
(for concern), *since* the group [taking vitamin E supplements] had high risks of
               S   V   O
hospitalization (for heart failure).

직독직해 마찬가지로 / 많은 의사들은 권장하고 있었다 / 일일 비타민 E 보충제를 / 심장병 위험을 낮추기 위해 / 그러나 / 최근의 연구 결과들은 / 보여 주었다 / 혹시
모를 우려할 만한 원인을 / 왜냐하면 그 집단은 / 비타민 E 보충제를 섭취한 / 가지고 있었기 때문이다 / 입원의 높은 위험을 / 심장 마비에 대한

해 석 마찬가지로, 많은 의사들은 심장병 위험을 낮추기 위해 매일 비타민 E를 보충할 것을 권장하고 있었지만, 최근의 연구 결과들은 우려할 만한 원인을
보여 주었는데, 비타민 E 보충제를 섭취한 집단이 심장 마비로 입원할 위험이 높았기 때문이다.

S + V + IO +DO

46.

Our culture teaches us <**what** to pay attention to> and <**what** to ignore>. It (also)
_S　　　　 _V　　 _{IO}　 _{DO¹}　　　　　　　　　　　　　 _{DO²}　　　　　　　 _S
teaches us <**when** to smile or look serious>.
_V　　 _{IO}　 _{DO}

직독직해 우리의 문화는 / 우리에게 가르친다 / 무엇에 주의를 기울여야 하는지 / 그리고 무엇을 무시해야 하는지를 // 그것은 또한 / 우리에게 가르쳐 준다 / 언제 웃어야 하는지 또는 언제 진지하게 보여야 하는지를

해 석 우리의 문화는 우리에게 무엇에 주의를 기울여야 하고 무엇을 무시해야 하는지를 가르친다. 그것은 또한 우리에게 언제 웃어야 하는지 또는 언제 진지하게 보여야 하는지를 가르쳐준다.

47.

An Eskimo (once) told European visitors <**that** the only true wisdom lives (far from
_S　　　　　　 _V　 _{IO}　　　　　 _{DO}　 _S　　　　　　　　　 _V
mankind), (out in the great loneliness)>.

직독직해 한 에스키모인이 / 말한 적이 있다 / 유럽 방문객들에게 / 단 하나의 진정한 지혜는 존재한다는 것을 / 인류와는 동떨어져 / 크나큰 외로움 속에

해 석 한 에스키모인이 유럽 방문객들에게 단 하나의 진정한 지혜는 인류와는 동떨어져 크나큰 외로움 속에 존재한다는 것을 말한 적이 있다.

48.

My wife has (always) asked me <**if** I loved her **when** we got married>.
_S　　 _V　　　　　　 _{IO}　 _{DO}

직독직해 내 아내는 / 항상 물어 왔다 / 나에게 / 내가 그녀를 사랑했는지 안 했는지를 / 우리가 결혼했을 때

해 석 내 아내는 나에게 우리가 결혼했을 때 내가 그녀를 사랑했는지 안 했는지를 항상 물어 왔다.

49.

Many people stop (at least) (once) (in their lives) (to ask themselves <**what** their lives
_S　　　　 _V　　　　　　　　　　　　　　　　　　 _{to부정사(목적) V}　 _{IO}　　　　 _{DO¹}
are all about> and <**whether** they are living well>).
_{DO²}

직독직해 많은 사람들은 멈춘다 / 최소한 / 한 번은 / 그들의 삶에서 / 그들 스스로에게 묻기 위해 / 그들의 삶이 모두 무엇에 관한 것인지 / 그리고 그들이 잘 살고 있는지 아닌지를

해 석 많은 사람들은 살면서 최소한 한 번쯤은 자신의 삶이란 무엇인지 그리고 자신이 잘 살고 있는지에 대해 묻기 위해 멈춘다.

50.

He should (then) read the schoolchildren <**what** was said (by the newspapers) (on one
side)>, <**what** was said (by those) (on the other)>, and some fair account of <**what**
(really) happened>.

직독직해 그는 / 그러고 나서 / 읽어 주어야 한다 / 학생들에게 / 무엇이 보도되었는지 / 신문을 통해 / 한쪽 입장에서 / 무엇이 보도되었는지 / 그것들을 통해 /
다른 쪽 입장에서 / 그리고 / 공정한 기사를 / 실제로 일어난 일에 대한

해 석 그러고 나서 그는 학생들에게 어느 한쪽 입장에서 신문들이 보도한 내용과 또 다른 편에서 신문들이 보도한 내용, 그리고 실제로 일어난 일에 대한 공
정한 기사를 읽어 주어야 한다.

51.

New research has shown people <**that** early childhood experiences do not just create
a background (for development and learning), but they (directly) affect the way [the
brain is wired]>.

직독직해 새로운 연구는 / 보여 주었다 / 사람들에게 / 유아기의 경험들은 / 단지 형성하기만 하는 것이 아니라 / 배경을 / 발달과 학습을 위한 / 그것들은 직접적
으로 방식에 영향을 미친다 / 뇌가 연결되는

해 석 새로운 연구는 사람들에게 유아기의 경험들이 발달과 학습을 위한 배경을 만들어 낼 뿐만 아니라 뇌가 연결되는 방식에 직접적으로 영향을 준다는 것
을 보여 주었다.

52.

Any experienced parent will tell you <**that** the best way [to get a broccoli-hating child
to sample this food] is to have another child sitting (nearby) [who (enthusiastically) is
eating broccoli]>.

직독직해 노련한 부모라면 누구든지 / 당신에게 말할 것이다 / 최고의 방법은 / 브로콜리를 싫어하는 아이에게 / 이 음식을 맛보도록 하는 / 또 다른 아이를 가까
이에 앉히는 것이라고 / 브로콜리를 매우 열심히 먹고 있는

해 석 노련한 부모라면 누구든지 브로콜리를 싫어하는 아이에게 이 음식을 맛보도록 하는 가장 좋은 방법은 브로콜리를 매우 열심히 먹고 있는 또 다른 아이
를 바로 가까이에 앉히는 것이라고 말할 것이다.

S + V + O + OC

53.

The noise of heavy traffic will (also) make the town less attractive, and life (in Springfield) will be less pleasant than it was (pleasant) (before).

직독직해 교통 혼잡의 소음은 / 또한 만들 것이다 / 도시를 / 덜 매력적으로 / 그리고 Springfield에서 삶은 / 덜 즐거워질 것이다 / 예전보다

해   석 교통 혼잡의 소음은 또한 도시를 덜 매력적으로 만들 것이고, Springfield에서의 삶은 예전보다 덜 즐거워질 것이다.

54.

The recent increase of the labor cost and tax (in Korea) has forced both large enterprises and small and medium enterprises to move (into China).

직독직해 최근 인건비와 세금의 증가는 / 한국에서의 / 강요했다 / 대기업과 중소기업 모두에게 / 중국으로 옮겨가도록

해   석 최근 한국에서의 인건비와 세금의 증가는 대기업과 중소기업 모두를 중국으로 옮겨가도록 강요했다.

55.

A rapid increase (in the number of college graduates) has made the competition (for jobs) much greater than it used to be.

직독직해 급속한 증가가 / 대학교 졸업생 수의 / 만들어 왔다 / 경쟁을 / 일자리에 대한 / 훨씬 더 크게 / 과거에 그랬던 것보다

해   석 대학교 졸업생 수의 급속한 증가가 일자리에 대한 경쟁을 과거보다 훨씬 더 치열하게 만들었다.

56.

(Lastly), (in the 20th century), the shift (in population) (from the countryside to the cities) made schools more concerned (with social problems).

직독직해 마지막으로 / 20세기에 / 인구의 이동은 / 시골에서 도시로의 / 만들었다 / 학교들이 / 더욱 관심을 갖도록 / 사회적 문제에

해   석 마지막으로 20세기에 시골에서 도시로의 인구의 이동은 학교들이 사회적 문제에 더욱 많은 관심을 갖도록 만들었다.

57.

(In the face of an uncooperative Congress), the President may find himself impotent
　　　　　　　　　　　　　　　　　　　　　S　　　　　　V　　　O　　　OC
(to accomplish the political program [to which he is committed]).
　to부정사(정도)　V1　　　O1　　　　　　전O관·대　S2　V2

직독직해 비협조적인 의회에 직면하여 / 대통령은 / 아마 깨달을 것이다 / 자신이 무능력하다는 것을 / 정치적 계획을 완수하기에 / 그에게 주어진

해　석 비협조적인 의회에 직면하여, 대통령은 그에게 주어진 정치적인 계획을 완수하기에 자신이 무능력하다는 것을 깨닫게 될 것이다.

58.

The most important thing [for you to do (as a student of literature)] is to advise
S1　　　　　　　　　　　　의미상 주어　　　　　　　　　　　　　　V1　SC1　V1
yourself to be an honest student, for (in the intellectual sphere) (at any rate) honesty is
O1　　　OC1　　　　　　　　　　　　　　　　　　　　　　　　　　　　　S2　　V2
(definitely) the best policy.
　　　　　　SC2

직독직해 가장 중요한 일은 / 당신이 해야 하는 / 문학도로서 / 스스로에게 조언하는 것이다 / 정직한 학생이 되도록 / 왜냐하면 / 어쨌든 지식의 세계에서는 / 정
직이 / 절대적으로 / 최고의 방책이기 때문이다

해　석 문학도로서 여러분이 해야 할 가장 중요한 일은 스스로 정직한 학생이 되리라고 다짐하는 것인데, 지식의 세계에서는 정직이 틀림없이 최고의 방책이
기 때문이다.

59.

We have (thereby) been enabled to make conditions of human existence (incomparably)
S1　V1　　　　　　　　　　　　SC1 V　　　　O
more favorable (in numerous respects), but (in our enthusiasm) (over our progress) (in
OC
knowledge and power) we have arrived at a defective conception of civilization itself.
　　　　　　　　　　S2　V2　　　　　　O2　　　　　　　　　　　　동격(강조용법)

직독직해 우리는 그리하여 가능하게 되었다 / 인간 존재의 조건을 만들도록 / 비교할 수 없을 만큼 더욱 유리하게 / 많은 측면에서 / 그러나 / 우리의 열정으로 /
우리의 진보에 대한 / 지식과 힘에 있어서 / 우리는 도달해 왔다 / 문명 그 자체에 대한 불완전한 개념에

해　석 그리하여 우리는 많은 측면에 있어서 인간의 존재 조건을 비교할 수 없을 정도로 더 유리하게 만들 수 있었지만 지식과 힘에 있어서의 우리의 진보에
대한 열정으로 인하여 우리는 문명 그 자체에 대해 불완전한 개념에 도달하고 말았다.

그 밖의 문장 형식

60.

The accident deprived me of the pleasure of baseball.
S　　　　V　　　 IO　 DO의 일종

직독직해 그 사건은 / 빼앗았다 / 나에게서 / 야구의 즐거움을

* 분리·박탈 동사 deprive가 'deprive A of B'의 구조로 쓰인 일종의 4형식 문장으로 해석한다.

해　석 그 사건이 나에게서 야구의 즐거움을 빼앗았다.

61.

She furnished him with the facts surrounding the case.
S　 V　　　 IO　　 DO의 일종

직독직해 그녀는 / 제공했다 / 그에게 / 그 사건과 관련된 사실을

* 제공 동사 furnish가 'furnish A with B'의 구조로 쓰인 일종의 4형식 문장으로 해석한다.

해　석 그녀는 그에게 그 사건과 관련된 사실을 제공했다.

62.

She placed the eggs in some cold water (for half an hour) to cool them.
S　 V　　 O　　　 OC의 일종　　　　　　　　　　　　　　 to부정사(목적)

직독직해 그녀는 / 두었다 / 달걀들을 / 찬물에 / 30분 동안 / 그것들을 식히려고

* 장소·안내 동사 place가 'place A in B'의 구조로 쓰인 일종의 5형식 문장으로 해석한다.

해　석 그녀는 달걀들을 식히려고 달걀들을 찬물에 30분 동안 담가두었다.

63.

The rain prevented them from eating outdoors.
S　　　 V　　　 O　　 OC의 일종

직독직해 비가 / 막았다 / 그들을 / 야외에서 식사하는 것을

* 금지·억제 동사 prevent가 'prevent A from B'의 구조로 쓰인 일종의 5형식 문장으로 해석한다.

해　석 비가 그들이 야외에서 식사하는 것을 못하게 했다.

64.

(That evening), ***just as*** we passed the mouth of the Potomac River, the US Coast
Guard warned all ships of imminent severe weather and said to seek safe harbor.

* say to RV: ~하라고 명령하다

직독직해 그날 저녁 / 우리가 막 지나쳤을 때 / 포토맥 강 입구를 / 미 해안경비대가 / 모든 배들에 경고했다 / 임박한 악천후를 / 그리고 명령했다 / 안전한 항구를 찾으라고

해 석 그날 저녁, 우리가 포토맥 강 입구를 막 지났을 때, 미 해안경비대가 모든 배들에 날씨가 곧 험하게 바뀔 것을 경고했고, 안전한 항구를 찾으라고 명령했다.

65.

Internet advertisements can not only raise awareness (about goods or services), but
they can also provide consumers with additional information (on demand).

직독직해 인터넷 광고들은 / 높여줄 수 있을 뿐만 아니라 / 인식을 / 상품이나 서비스에 대한 / 그 광고들은 / 또한 제공할 수 있다 / 소비자들에게 / 추가 정보를 / 고객이 원할 경우

해 석 인터넷 광고들은 상품이나 서비스에 대한 인식을 높여줄 수 있을 뿐만 아니라, 그것들은 고객이 원할 경우 소비자들에게 추가정보를 또한 제공할 수 있다.

66.

All of this is leading us to a better understanding (of <**how** hormones control growth
in animals, (including humans)>).

직독직해 이 모든 것이 / 이끌고 있다 / 우리를 / 더 나은 이해로 / 어떻게 호르몬이 동물의 성장을 조절하는지에 대한 / 인간을 포함하여

해 석 이 모든 것이 인간을 포함하여 어떻게 호르몬이 동물의 성장을 조절하는지에 대한 더 나은 이해로 우리를 이끌고 있다.

67.

Though her actor father discouraged all of his kids from becoming child actors, she
　　S　　　　　　　　V　　　　　　O　　　　　　OC　　　　　　　　　　S
began going to auditions *while* (she was) (in high school).
　V　　O　　　　　　　　　　　　　(생략)

직독직해 비록 배우인 그녀의 아버지가 반대했지만 / 그의 자녀들 모두가 / 아역 연기자가 되는 것을 / 그녀는 시작했다 / 오디션을 보러 다니기를 / 고등학생일 때

해　석 비록 배우인 그녀의 아버지가 그의 자녀들 모두가 아역 연기자가 되는 것을 반대했지만, 그녀는 고등학생일 때 오디션을 보러 다니기 시작했다.

68.

Aung San Suu Kyi, the Burmese dissident, was under house arrest (in 1991) and it
　S₁　　　　　　　동격　　　　　　　　V₁　　SC₁　　　　　　　　　　　S₂
prohibited her from traveling to Norway (to accept her Nobel Peace Prize).
　V₂　　　　O₂　　OC₂　　　　　　　　　to부정사(목적)

직독직해 미얀마의 반체제 인사인 아웅 산 수 지는 / 가택연금 상태에 있었고 / 1991년에 / 그것은 / 그녀로 하여금 못하게 했다 / 노르웨이로 가는 것을 / 노벨평화상을 받기 위해

해　석 1991년에 미얀마의 반체제 인사인 아웅 산 수 지는 가택연금 상태에 있었고, 그로 인해 그녀는 노벨평화상을 받기 위해 노르웨이에 갈 수 없었다.

69.

(After a brief economic bonanza) (in the early 1990s) [that filled Buenos Aires
　　　　　　　　　　　　　　　　　　　　　　　　　S관·대　V　　IO
with glitz], the most severe economic crisis (in Argentina's history) pushed half the
　DO　　　　　　S　　　　　　　　　　　　　　　　　　　　　　　V　　　O
population below the poverty level.　　　　　　　* fill A with B: A를 B로 채우다
　OC

직독직해 짧았던 경제적 풍요 이후에 / 1990년대 초반에 / 부에노스아이레스를 호화로움으로 가득 채웠던 / 가장 심각한 경제적 위기가 / 아르헨티나 역사상 / 밀어 넣었다 / 인구의 절반을 / 빈곤선 아래로

해　석 1990년대 초반에 부에노스아이레스를 호화로움으로 가득 채웠던 짧은 경제적 풍요 이후에 아르헨티나 역사상 가장 심각한 경제적 위기가 인구의 절반을 빈곤선 아래로 밀어 넣었다.

Pattern 08
핵심어 + 수식어 (직독직해의 핵심)

70.

Do you know the woman [sitting (in front of the building)]?
　　S　V　　O

직독직해 너는 / 아니 / 그 여자를 / 그 건물 앞에 앉아 있는

해　석 너는 그 건물 앞에 앉아 있는 그 여자를 아니?

71.

Hearing (about a dinosaur) [alive (in the rain forests of South America)], a professor
　　S

launches a scientific expedition.
　V　　　　O

직독직해 공룡에 대해서 들은 / 남아메리카의 열대 우림에 살아 있다는 / 〈그런〉 한 교수가 / 떠난다 / 과학 탐험을

해　석 남아메리카의 열대 우림에 살아 있다는 공룡에 대해서 들은 한 교수가 과학 탐험을 떠난다.

72.

(Because of oil products), we can make light engines, [which enable airplanes to rise
　　　　　　　　　　　　　　S　V　　　O　　　　　S관·대　V　　O₁　　　OC₁

(into the air) and automobiles to speed (along highways)].
　　　　　　　　　　O₂　　　　　OC₂

직독직해 유류 생산품 때문에 / 우리는 / 만들 수 있다 / 가벼운 엔진을 / 〈그런데 그 엔진은〉 가능하게 해준다 / 비행기가 / 공중으로 높이 오르는 것을 / 그리고
자동차가 / 고속도로를 따라 빨리 달리는 것을

해　석 유류 생산품 때문에 우리는 가벼운 엔진을 만들 수 있는데, 그것은 비행기가 공중으로 높이 오르게, 그리고 자동차가 고속도로를 따라 빨리 달리게 해준다.

73.

(Today) the number of workers [who go on strike (for higher wages)] is (almost)
　　　　　S　　　　　　　　　　　S관·대　V　　O　　　　　　　　　　　V

(twice) that of twenty years ago.
　　　SC

직독직해 오늘날 / 노동자의 수는 / 파업을 하는 / 높은 임금을 위해 / 거의 두 배이다 / 20년 전의 노동자 수의

해　석 오늘날 높은 임금을 위해 파업을 하는 노동자의 수는 20년 전에 비해 거의 두 배이다.

74.

Egypt (last month) ordered the slaughter of all poultry [kept in homes], (as part of efforts [to stop the spread of the bird flu virus]).
S / V / O

이집트는 / 지난달에 / 명령했다 / 모든 가금류의 도살을 / 집에서 사육하는 / 노력의 일환으로 / 조류 독감 바이러스의 확산을 막으려는

해   석 이집트는 지난달에 조류 독감 바이러스의 확산을 막으려는 노력의 일환으로 집에서 사육하는 모든 가금류를 도살하도록 명령했다.

75.

(At night), schools of prey and predators are (almost) (always) (spectacularly) illuminated (by the bioluminescence [produced (by the microscopic and larger plankton)]).
S / V

직독직해 밤에는 / 먹이 떼와 포식자들이 / 거의 언제나 극적으로 빛난다 / 생체 발광에 의해 / 미세하거나 더 큰 플랑크톤에 의해 만들어진

해   석 밤에는 미세하거나 더 큰 플랑크톤에 의해 만들어진 생체 발광에 의해서 먹이 떼와 포식자들은 거의 항상 극적으로 빛난다.

76.

The *Harry Potter* series of novels has been the subject of a number of legal proceedings, [(largely) stemming from claims (by the American religious groups) <that the magic (in the books) promotes witchcraft (among children)>].
S / V / SC / V1 / O1 / (동격) S2 / V2 / O2

직독직해 소설 해리 포터 시리즈는 / 수많은 소송 절차의 사안이 되어왔다 / 대체로 주장에 기인하는 / 미국의 종교 집단들에 의한 / 책 속의 마법이 / 마술을 조장한다고 / 아이들 사이에서

해   석 소설 해리 포터 시리즈는 주로 책 속의 마법이 아이들 사이에서 마술을 조장한다는 미국의 종교 집단들에 의한 주장에 기인한 수많은 소송 절차의 사안이 되어왔다.

77.

The Vietnamese Communist regime, [(long) weakened (by regionalism and corruption)], can (barely) control the relentless destruction of the country's forests, [which are home (to some of the most spectacular wild species) (in Asia), (including the Java rhinoceros, dagger-horned goats), as well as (newly) discovered animals [(previously) unknown (to Western science)]]].
S / V / O / S관·대 V SC

직독직해 베트남 공산주의 정권은 / 지역주의와 부패로 인해 오랜 시간 동안 약해진 / 거의 막을 수 없다 / 국가 삼림의 가차 없는 파괴를 / 서식지인 / 가장 눈에 띄게 장관인 몇몇의 야생종에게는 / 아시아에 있는 / 자바 코뿔소, 단검 뿔염소를 포함하여 / 새로이 발견된 동물들뿐만 아니라 / 이전에 알려지지 않았던 / 서양 과학에

해   석 지역주의와 부패로 오랜 시간 동안 약해진 베트남 공산주의 정권은 서양 과학에서는 이전에 알려지지 않았던 새로이 발견된 동물들뿐만 아니라 아시아에서 가장 눈에 띄게 장관인 자바 코뿔소, 단검 뿔염소를 포함하는 야생종의 일부에게 서식지인 국가 삼림의 가차 없는 파괴를 거의 막을 수가 없다.

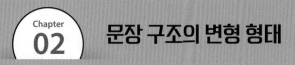
Chapter
02 문장 구조의 변형 형태

Pattern 09 | **문장 요소가 생략되는 경우 (생략 공통 구문)**

78.

Those [who know themselves] are wise; those [who didn't (know)] are not (wise).
S₁　S관·대 V₁　O₁　　V₁　SC₁　S₂　　S관·대 V₂　　　V₂　SC₂

직독직해 자신을 아는 사람은 / 현명하지만 / (알지) 못하는 사람은 / (현명하지) 못하다

해 석 자신을 아는 사람은 현명하지만 (알지) 못하는 사람은 (현명하지) 못하다.

79.

(Thus), the youth may identify with the aged, one gender (may identify) with the
　　　　S₁　　 V₁　　　　　O₁　　S₂　　V₂　　　O₂
other, and a reader of a particular limited social background (may identify) with
　　　　　　 S₃　　　　　　　　　　　　　　　　　　　　V₃
members of a different class or a different period.
O₃

직독직해 그리하여, 젊은이들은 / 공감할 것이다 / 노인들과 / 하나의 성이 / 공감할 것이다 / 다른 성과 / 그리고 한정된 특정 사회적 배경을 지닌 독자는 / 공감
할 것이다 / 다른 계층이나 다른 시대의 구성원과

해 석 그리하여, 젊은이들은 노인들과 공감할 것이고, 하나의 성은 다른 성과 공감할 것이며, 그리고 한정된 특정 사회적 배경을 지닌 독자는 다른 계층이나
다른 시대의 구성원과 공감할 것이다.

80.

What (would happen) *if* there were no air!
S　　(V 생략)　　　　V　　S

직독직해 무슨 일이 일어날까 / 만약에 / 공기가 없다면

해 석 만약 공기가 없다면 어떨까!

81.

He is not (<**what** he used to be>) and will not be <**what** he used to be>.
S   V₁   (SC₁ 생략)   V₂   SC₂

직독직해 그는 / 아니다 / 예전의 그가 / 그리고 / 아닐 것이다 / 예전의 그가

해 석 그는 예전의 그가 아니고, 앞으로도 아닐 것이다.

82.

(According to ancient lore), every man is born (into the world) (with two bags
                              S₁   V₁   전O₁
suspended (from his neck)) – (with) one (suspended) (in front) and (with) one
전OC₁   (생략) 전O₂ (전OC₂ 생략)   (생략) 전O₃
(suspended) (behind), and both are full of faults.
(전OC₃ 생략)   S₂ V₂   O₂

직독직해 옛날 설화에 따르면 / 모든 사람은 / 태어난다 / 세상에 / 두 개의 주머니를 가지고 / 그의 목에 매달려 있는 / 즉 하나는 앞에 하나는 뒤에 / 그리고 / 둘 다 실수로 가득 차 있다

해 석 옛날 설화에 따르면 모든 사람은 목에 두 개의 주머니를 매달고 세상에 태어난다. 그것들 중 하나는 앞에, 또 하나는 뒤에 달려 있고, 그 두 개는 다 실수로 가득 차 있다.

83.

(For instance), (in warmer areas) the sandal was (the most popular form of footwear),
                                   S₁   V₁   (SC₁ 생략)
and (still) is, the most popular form of footwear, *whereas* the modern moccasin
    V₂   SC₂   S
derives from the original shoes [adopted (in cold climates) (by races) (such as
V   O
Eskimos and Siberians)].

직독직해 예를 들어 / 따뜻한 지역에서 / 샌들은 / 가장 인기 있는 신발의 형태였고 / 그리고 / 여전히 / 가장 인기 있는 신발의 형태이다 / 현대의 모카신은 유래된 반면에 / 원래의 신발로부터 / 추운 기후에서 채택되었던 / 민족들에 의해 / 예를 들어 에스키모인과 시베리아인 같은

해 석 예를 들어 따뜻한 지역에서 샌들은 가장 인기 있었고 여전히 가장 인기 있는 신발의 형태인 반면에, 현대의 모카신은 예를 들어 에스키모인과 시베리아인 같은 민족들에 의해 추운 기후에서 채택되었던 원래의 신발로부터 유래되었다.

84.

Although both deal with negotiation, a mediator needs to maintain neutrality and an
　　　　　S　　V　　　　O　　　　　S₁　　　V₁　　　　　O₁　　　　　S₂
advocate (needs to maintain) partiality (in order to avoid crossing over (into each other's
　　　　　(V₂ 생략)　　　　　O₂　　　　to부정사(목적)
role)).

직독직해 양자가 협상을 처리하더라도 / 중재자는 / 유지하는 것이 필요하다 / 중립성을 / 그리고 / 옹호자는 / 유지하는 것이 필요하다 / 편파성을 / 침범하는
것을 피하기 위하여 / 서로의 역할에

해　석 양자가 협상을 처리하더라도, 서로의 역할을 침범하는 것을 피하기 위해서 중재자는 중립성을 유지하고 옹호자는 편파성을 유지할 필요가 있다.

85.

No matter how near the dawn was or *how* weary the man (was), classes had to be
　　　　　　SC₁　　S₁　　V₁　　　　SC₂　　S₂　　(V₂ 생략)　S　　V
prepared. The student might be forgiven (for coming to class unprepared); the teacher
　　　　　　S₁　　　　V₁　　　　　　　　　　　　　　　　　S₂
(might) (never) (be forgiven) (for coming to class unprepared).
(V₂ 생략)

직독직해 아무리 새벽이 가깝고 / 아무리 사람이 피곤하다 해도 / 수업은 준비되어야 했다 // 학생은 / 용서가 될 수 있다 / 준비되지 않은 채 수업에 와도 / 그러
나 / 선생님은 / 결코 용서받을 수 없다 / 준비 없이 수업에 오는 것이

해　석 아무리 새벽이 가깝고 혹은 아무리 사람이 피곤하다 해도 수업 준비는 해야만 했다. 학생은 준비 없이 수업에 와도 용서가 될 수 있으나, 선생님은 결
코 준비 없이 수업에 오는 것이 용서받을 수 없다.

86.

There is a general apathy, *if* (it is) not positive distrust, of science itself (as a search
　　　V₁　S₁　　　　　　　　(생략)
for truth); for, (to the ordinary American), science is identified with mechanical
　　　　　　　　　　　　　　　　　　　　　　S₂　　V₂　　　　　O₂
inventions.

직독직해 일반적인 무관심이 있다 / 적극적인 불신까지는 아니더라도 / 과학 그 자체에 / 진리탐구로서의 / 왜냐하면 / 평범한 미국인들에게 / 과학은 / 동일시
되기 때문이다 / 기계의 발명과

해　석 진리탐구로서의 과학 그 자체에 대한 적극적인 불신까지는 아니더라도 일반적인 무관심이 있는데 평범한 미국인들에게 있어서 과학은 기계의 발명과
동일시되기 때문이다.

87.

There is an almost peculiar correlation (between <**what** is (in front of our eyes)> and
　　V　S
the thoughts [(that) we are able to have (in our heads)]): large thoughts (at times)
　　　　　　(O관·대 생략)　　　　　　　　　　　　　　　　　　　부연 설명
[requiring large views], new thoughts [(requiring) new places].
　　　　　　　　　　　　　　(생략)

직독직해 거의 기묘한 상관관계가 있다 / 우리의 눈앞에 있는 것과 / 우리가 우리의 머릿속에서 가질 수 있는 생각 사이에 / 큰 생각들은 / 때때로 / 폭넓은 시야를 요구하고 / 새로운 생각들은 / 새로운 장소들을 요구한다

해　석 우리 눈앞에 있는 것과 우리가 우리 머릿속에 가질 수 있는 생각 사이에는 거의 기묘한 상관관계가 있는데, 큰 생각들은 때때로 폭넓은 시야를 요구하고, 새로운 생각들은 새로운 장소들을 요구한다.

88.

(In many Western countries), there are (still) differences (in the curricula [(that) girls
　　　　　　　　　　　　　　V　　　　　S　　　　　　　　　　(O관·대 생략) S
and boys follow]) – home economics or domestic science [being studied (by the one)],
　　　　V　　　　　부연 설명
(for example), woodwork or metalwork [(being studied) (by the other)].
　　　　　　　　　　　　　　　　(생략)

직독직해 많은 서양 국가에는 / 여전히 차이점이 있다 / 교육과정에 / 남녀 학생들이 따르는 / 가정학과 / 여학생들에 의해 학습되는 / 예를 들어 / 목공예나 금속 공예 / 남학생들에 의해 학습되는

해　석 많은 서양 국가에는 여학생들과 남학생들이 따르는 교육과정에 여전히 차이가 있다. 예를 들면 가정학은 여학생들이 공부하고, 목공예나 금속 공예는 남학생들이 공부한다.

Pattern 10 **문장 요소의 위치가 변하는 경우 (도치 구문)**

89.

Not only does the act of writing a note (like this) focus your attention on <**what**'s right
부정어 대동사 S₁   V₁   O₁   V SC
(in your life)>, but the person [receiving it] will be touched and grateful.
                     S₂   V₂   SC₂

직독직해 뿐만 아니라 / 이런 쪽지를 쓰는 행위는 / 집중시킨다 / 당신의 주의를 / 당신의 삶에서 옳은 것에 / 그것을 받는 사람은 / 감동을 받고 감사할 것이다

해 석 이런 쪽지를 쓰는 행위는 당신의 주의를 당신의 삶에서 옳은 것에 집중시킬 뿐만 아니라, 그것을 받는 사람도 감동을 받고 감사할 것이다.

90.

(Behind the clouds) is the sun (still) shining.
장소의 부사구   V   S   SC

직독직해 구름 뒤에는 / 태양이 / 여전히 빛나고 있다

해 석 구름 뒤에는 태양이 여전히 빛나고 있다.

91.

(In Pamplona, a white-walled, sun-baked town (high up in the hills of Navarre)), is held
장소의 부사구   V
(in the first two weeks of July each year) the World's Series of bull fighting.
                                               S

직독직해 Pamplona에서는 / 벽이 하얗고 햇볕이 강한 도시인 / Navarre의 언덕 높은 곳에 위치한 / 열린다 / 매년 7월의 첫 두 주 동안 / 투우의 월드시리즈가

해 석 Navarre의 언덕 높은 곳에 위치한 Pamplona라는 벽이 하얗고 햇볕이 강한 도시에서 매년 7월의 첫 두 주 동안 투우의 월드시리즈가 열린다.

92.

(Among them) were some tulips, and (out of one of these), *as* it opened, flew a bee.
                  V₁   S₁   S V   V₂   S₂

직독직해 그것들 중에는 / 튤립 몇 송이가 있었다 / 그리고 / 그 중 한 송이에서 / 꽃이 벌어졌을 때 / 날아갔다 / 꿀벌 한 마리가

해 석 그것들 중에는 튤립 몇 송이가 있었는데, 그 중 한 송이에서 꽃이 벌어졌을 때 꿀벌 한 마리가 날아갔다.

93.

(Only) (in the earliest times), [when there were (very) few humans (about)], may this
관.부   V   S   V   S
not have been true.
V   SC

직독직해 최초 시대에만은 / 주위에 극히 소수의 사람들이 있었을 때 / 이것이 사실이 아니었을지도 모른다

해　석 이것은 주위에 인류가 극히 소수만이 존재했던 최초 시대에만은 사실이 아니었을지도 모른다.

94.

Not only does the 'leaf fish' look like a leaf, but it also imitates the movement of a
         V₁   S₁   V₁   SC₁   S₂   V₂   O₂
drifting leaf (underwater).

직독직해 'leaf fish'는 / 나뭇잎처럼 보일 뿐만 아니라 / 그것은 또한 흉내 낸다 / 물속에서 떠다니는 잎의 움직임을

해　석 'leaf fish'는 나뭇잎처럼 보일 뿐만 아니라, 물속에서 떠다니는 잎의 움직임을 흉내 낸다.

95.

So sudden was the attack *that* we had no time [to escape].
   SC   V   S   S   V   O

직독직해 너무나 갑작스러웠다 / 그 공격은 / 그래서 / 우리는 시간이 없었다 / 도망갈

해　석 그 공격은 너무나 갑작스러워서 우리는 도망갈 시간이 없었다.

96.

So great is the force of tornadoes *that* they elevate trains (off their tracks).
   SC   V S   S   V   O

직독직해 너무나 커서 / 토네이도의 힘이 / 토네이도는 / 들어 올린다 / 열차들을 / 그것들의 철로들로부터

해　석 토네이도의 힘은 너무나 커서 철로로부터 열차들을 들어 올린다.

문장 구조의 변형 형태

97.

Looking back, it seems most odd <that (never) (once) (in all the years) [that I was at
비인칭 독립분사구문   가 V   SC   진S   관·부 S₁ V₁ SC₁
school] was there any general discussion (about careers)>.
        V₂   S₂

직독직해 돌아보면 / 아주 이상하게 보인다 / 결코 한 번도 / 긴 세월 동안에 / 내가 학교에 다녔던 / 어떤 폭넓은 토론이 없었다는 것이 / 직업에 대한

해 석 돌아보면 내가 학교에 다녔던 긴 세월 동안에 한 번도 직업에 대해서 폭넓은 토론이 이루어진 적이 없다는 것이 아주 이상하게 보인다.

98.

(Among interesting things [to observe **as** you travel (around the world)]) are the
                                                    S₁ V₁   V S
varied ways [in which people conduct themselves (at parties)].
            전O관·대 S₂   V₂   O₂

직독직해 관찰하게 되는 재미난 일 중에 / 당신이 세계일주 여행을 할 때 / 다양한 방법이 있다 / 사람들이 그들 스스로를 처신하는 / 파티에서

해 석 네가 세계일주 여행을 할 때 관찰하게 되는 재미난 일 중에는 사람들이 파티에서 그들 스스로를 처신하는 다양한 방법이 있다.

99.

The settlement of America was a unique experience (in the history of man). (Never)
S   V   SC
(before in recorded times) had a whole culture — (in this case), the culture of Western
                            V   S
Europe — been transferred (bodily) (to another and (previously) unknown continent).
          V

직독직해 미국의 개척은 / 특이한 경험이었다 / 인간의 역사상 // 기록된 시간(역사시대) 이전에 / 문화 전체가 / 이 경우에는 서유럽 문화 / 통째로 옮겨진 적이
없었다 / 이전에는 미지였던 다른 대륙으로

해 석 미국의 개척은 인간의 역사상 특이한 경험이었다. 역사시대 이전에 하나의 문화 전체 — 이 경우에는 서유럽 문화 — 가 이전에는 미지였던 다른 대륙
으로 통째로 옮겨진 적이 없었다.

「형용사 + be동사 + S」 / 「형용사, S + V」 / 「of 명사, S + V」 가 나온 경우

100.

Most helpful (to the calm and peaceful atmosphere) [that the two-year old child needs
but cannot produce (for himself/herself)] is the presence of comforting music, (in almost any form).

SC (형용사 보어) / O관·대 / S / V1 / V2 / V / S

직독직해 가장 도움이 되는 것은 / 조용하고 평화로운 분위기에 / 〈그런데 그 분위기를〉 두 살배기 아이는 필요로 한다 / 하지만 스스로 만들어낼 수는 없다 / 위안이 되는 음악의 존재이다 / 거의 모든 형태로 된

해석 조용하고 평화로운 분위기에 가장 도움이 되는 것은 거의 모든 형태로 된 위안이 되는 음악의 존재이다. 그 분위기는 두 살배기 아이는 필요로 하지만 스스로 만들어낼 수는 없다.

101.

(Of the 300 to 400 people) [who die (every day) (in our country) (as a result of smoking)], many are young smokers.

of + 명사 / S관·대 / V / S / V / SC

직독직해 300명 내지 400명의 사람들 중에서 / 〈그런데 그 사람들은〉 매일 죽는다 / 우리나라에서 흡연으로 / 많은 사람들이 / 젊은 흡연자이다

해석 우리나라에서 매일 흡연으로 죽는 300명 내지 400명의 사람들 중에서 많은 사람들이 젊은 흡연자이다.

102.

More important than success, [which (generally) means promotion or an increase (in salary)], is the happiness [which can (only) be found (in doing work) [that one enjoys (for its own sake) and (not (merely) for the rewards [(that) it brings])]].

SC / S관·대 / V1 / O1 / V / S / S관·대 / V2 / O관·대 / S3 / V3 / (O관·대 생략)

직독직해 더 중요한 것은 / 성공보다 / 일반적으로 승진이나 월급 인상을 의미하는 / 행복이다 / 오로지 발견될 수 있는 / 일하는 것에서 / 사람이 그 자체를 위해서 즐기는 / 단지 보상을 위해서가 아니라 / 일이 가져다주는

해석 일반적으로 승진이나 월급 인상을 의미하는 성공보다 더 중요한 것은 단지 일이 가져오는 보상을 위해서가 아니라 그 자체로 즐길 수 있는 일을 하는 데서 오로지 발견될 수 있는 행복이다.

103.

Included (in the art collection) are sixteen photographs of the painter John Sloan.
  SC   V   S

직독직해 포함된 것은 / 그 예술 수집품 속에 / 화가 John Sloan의 16개 사진들이다

해 석 그 예술 수집품 속에 화가 John Sloan의 16개 사진들이 포함되어 있다.

104.

Injuries may harm a football player (physically), but worse than the physical
  S₁   V₁   O₁   SC₂

discomfort [(that) they create] is the psychological damage [(that) they (sometimes)
            (O관·대 생략) S₁ V₁ V₂ S₂   (O관·대 생략) S₂

bring].
  V₂

직독직해 부상은 / 축구 선수에게 해를 입힐지도 모른다 / 신체적으로 / 그러나 / 더 나쁜 것은 / 신체적 불편보다 / 그것들이 초래하는 / 심리적인 피해이다 / 그
것들이 때때로 가져오는

해 석 부상은 축구 선수에게 신체적으로 해를 입히기도 하지만, 그러한 부상이 발생시키는 신체적 불편보다 더 나쁜 것은 부상이 때때로 동반하는 심리적인
피해이다.

105.

(Of all the ways [that automobiles damage the urban environment and lower the
                  관·부   S   V₁   O₁   V₂   O₂

quality of life (in big cities)]), few are as maddening and unnecessary as car alarms.
                                    S   V   SC   비교대상

직독직해 모든 방식 중에서 / 자동차가 도시 환경을 해치고 / 삶의 질을 떨어뜨리는 / 대도시의 / 거의 없다 / 자동차 경보 장치만큼 화나게 하고 불필요한 것은

해 석 자동차가 도시 환경을 해치고 대도시의 삶의 질을 떨어뜨리는 모든 방식 중에서 자동차 경보 장치만큼 화나게 하고 불필요한 것은 거의 없다.

106.

So weird were the events [surrounding the two murders] ***that*** (even) an elaborate
 SC   V   S   S
official investigation [conducted (by Chief Justice Warren)] could not quiet all doubts
                                                              V   O
and theories (about <**what** had (really) happened>).

직독직해 너무 기괴하다 / 두 건의 살인을 둘러싼 사건들이 / 심지어 / 심도 있는 공식 조사조차 / Warren 대법원장에 의해 수행된 / 잠재울 수 없었다 / 모든
의문과 추측들을 / 정말로 무슨 일이 발생했던 것인지에 관한

해 석 두 건의 살인을 둘러싼 사건들이 너무 기괴하여서 심지어 Warren 대법원장에 의해 수행된 심도 있는 공식 조사조차도 정말로 무슨 일이 발생했던 것
인지에 관한 모든 의문과 추측들을 잠재울 수 없었다.

107.

(Of all the characteristics of ordinary human nature) envy is the most unfortunate; not
                                                        S1   V1   SC1
only does the envious person wish to inflict misfortune and do (so) ***whenever*** he can
       V2   S2   V2   O2   V3   S   V
(with impunity), but he is also himself rendered unhappy (by envy).
                     S4 V4   동격(강조용법)   SC4

직독직해 평범한 인간 본성의 모든 특징 중에서 / 시기심은 / 가장 불행한 것이다 / 시기심이 있는 사람은 원할 뿐만 아니라 / 불행을 입히기를 / 그리고 그렇게
한다 / 그가 할 수 있을 때면 언제든지 / 처벌받지 않고 / 그는 또한 스스로 불행한 상태가 된다 / 시기심에 의해

해 석 평범한 인간 본성의 모든 특징 중에서 가장 불행한 것은 시기심이다. 시기심이 있는 사람은 타인에게 불행을 입히기를 희망하고, 또 벌받지 않고 할 수
있을 때는 언제든지 그렇게 할 뿐만 아니라, 시기심에 의해서 그 자신도 불행해진다.

PART 02

주어편

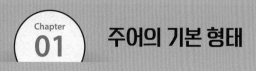
Chapter 01 주어의 기본 형태

「준동사 / 명사구 / 명사절 + V」가 나온 경우

1 「To RV / RVing / 명사구 + V」가 나온 경우

108.

To think of the future (in relation to the present) is essential (to civilization).
S   V SC

직독직해 미래를 생각한다 / 현재와 관련지어 / 〈그것은〉 문명에 있어 필수적이다

해 석 현재와 관련지어 미래를 생각하는 것은 문명에 있어 필수적이다.

109.

As the custom of going somewhere (in the summer) has become general, every good
S   V   SC   S

mother's care (for her children) makes her long to take them (to the sea).
                                  V   O   OC

직독직해 여름에 어디든 가는 관습은 / 일반화되어 있기 때문에 / 모든 선량한 어머니의 자녀를 사랑하는 마음이 / 만든다 / 그녀를 / 열망하도록 / 그들을 데리고 가는 것을 / 바닷가에

해 석 여름에 어디든 가는 관습은 일반화되어 있기 때문에 모든 선량한 어머니의 자녀를 사랑하는 마음이 그녀가 그들을 바닷가에 데리고 가고 싶어 하도록 만든다.

110.

Being a good observer and reactor means being attentive and sensitive (to other
S   V   O

people's cues), (in both their facial and body language).

직독직해 좋은 관찰자와 반응자가 되는 것은 / 의미한다 / 주의력이 깊고 민감하다는 것을 / 다른 사람들의 신호에 / 얼굴과 신체 언어 두 가지 모두에서

해 석 좋은 관찰자와 반응자가 되는 것은 얼굴과 신체로 나타나는 언어 두 가지 모두에서 다른 사람이 보내는 신호에 주의 깊고 민감하다는 것을 의미한다.

111.

(In the age of abundance), the apparent availability of virtually all material necessities
S
tended to lead people to expect speedy gratification of their desires.
V   O   OC

직독직해 풍요의 시대에 / 사실상 모든 물질적인 필수품의 명백한 이용 가능성은 / 사람들을 이끄는 경향이 있었다 / 그들의 욕구의 빠른 충족을 기대하도록

해 석 풍요의 시대에서 사실상 모든 물질적인 필수품의 명백한 이용 가능성은 사람들이 자신들이 원하는 것을 곧바로 얻을 수 있다고 생각하도록 이끄는 경향이 있었다.

112.

Breaking (deeply) embedded habitual tendencies (such as procrastination, impatience,
S
criticalness, or selfishness) [that violate basic principles of human effectiveness]
                              S관·대   V   O
involves more than a little willpower and a few minor changes (in our lives).
V   O

직독직해 깊숙이 배인 습관적 경향을 깨는 것은 / 미루기, 성급함, 비판적임 또는 이기심과 같은 / 인간 효율성의 기본 원칙을 위반하는 / 포함한다 / 약간의 의지력과 작은 변화 이상을 / 우리의 삶에서

해 석 인간 효율성의 기본 원칙을 위반하는 미루기, 성급함, 비판적임 또는 이기심과 같이 몸속 깊숙이 배인 습관적인 경향을 고치는 것은 우리의 삶에서 약간의 의지력과 작은 변화 이상을 필요로 한다.

113.

Being able to record and predict such events (as the ripening of berries, fruits, and
S
grasses, as well as the migration periods (of different birds, fish, and game animals)),
(greatly) improved the potential for survival (of these early human beings) and made
          V₁   O₁   V₂
it possible for them to plan (for the first time) (in human history).
가O₂ OC₂   의미상 주어   진O₂

직독직해 이러한 사건들을 기록하고 예상할 수 있는 것은 / 딸기류, 과일류, 곡류가 무르익는 것과 같은 / 다양한 조류, 어류, 사냥감의 이동 시기뿐만 아니라 / 크게 증가시켰다 / 고대의 인간들의 생존 가능성을 / 그리고 / 가능하게 만들었다 / 그들이 계획하는 것을 / 인류 역사상 최초로

해 석 다양한 조류, 어류, 사냥감이 이동하는 시기뿐만 아니라, 딸기류, 과일류, 곡류가 무르익는 것과 같은 이러한 사건들을 기록하고 예상할 수 있는 것은 고대 인간들의 생존 가능성을 크게 증가시키고 인류 역사상 최초로 그들이 계획하는 것을 가능하게 만들었다.

2 「명사절 + V」가 나온 경우

114.

<**Whether** he is rich or poor> makes no difference (to me).
S S V SC V O

직독직해 그가 부유한지 가난한지는 / 나에게는 중요하지 않다

해 석 그가 부유한지 가난한지는 나에게는 중요하지 않다.

115.

<**What** a person thinks (on his own) (without being stimulated (by the thoughts and
S S V
experiences of other people))> is (at best) insignificant and monotonous.
V SC

직독직해 한 사람이 스스로 생각하는 것은 / 자극되는 것 없이 / 다른 사람들의 생각들과 경험에 의해 / 기껏해야 의미 없고 단조로울 뿐이다

해 석 다른 사람들의 생각들과 경험에 의해 자극되는 것 없이 한 사람이 스스로 생각하는 것은 기껏해야 의미 없고 단조로울 뿐이다.

116.

<**Whether** the text will unfold new meanings to him> depends upon a man's
S V O
knowledge and experience of life.

직독직해 그 글이 그에게 새로운 의미를 펼칠 수 있느냐 하는 것은 / 달려있다 / 그 사람의 지식과 인생의 경험에

해 석 그 글이 그에게 새로운 의미를 펼칠 수 있는지의 여부는 그 사람의 지식과 인생의 경험 여하에 달려 있다.

117.

<**What** you are asking of high schoolers> is to keep track of five or six subjects, plan
　　　S　　　　　　　　　　　　　　　　　　　　　V　SC₁　　　　　　　　　　　　　　　　　　　　　SC₂
(ahead) (for their long term projects), and decide <**what** is important to study>.
　　　　　　　　　　　　　　　　　　　　　　　　SC₃

직독직해 당신이 고등학생들에게 요구하는 것은 / 대여섯 개의 과목을 꾸준히 따라가고 / 계획을 미리 세우고 / 장기적인 과제를 위한 / 그리고 / 무엇을 공부하는 것이 중요한지 결정하는 것이다

해 석 당신이 고등학생들에게 요구하는 것은 대여섯 개의 과목을 꾸준히 따라가고, 장기적인 과제를 위한 계획을 미리 세우고, 무엇을 공부하는 것이 중요한지를 결정하는 것이다.

118.

<**That** any other business is better than the one [in which they are engaged]> is a
　　S　　　S₁　　　　　　　　V₁　SC₁　　　비교대상　　　전O관·대　S₂　V₂　　　　V　SC
prevalent idea (among men [who are not (very) prosperous (in their occupation)]).
　　　　　　　　　　　　　　　　S관·대 V₃　　　　　　SC₃

직독직해 어떤 다른 직업이든 더 좋다는 것은 / 그들이 종사하고 있는 직업보다 / 널리 퍼져 있는 생각이다 / 사람들 사이에 / 아주 성공하지 않은 / 그들의 직업에서

해 석 자기 직업에서 아주 성공하지 못한 사람들 사이에서는 어떤 다른 직업이든 자기가 종사하고 있는 직업보다 더 낫다는 것이 널리 퍼져 있는 생각이다.

Pattern 13 「S + 준동사 / 부사구 / 관계사절 + V」가 나온 경우

1 「S + to RV / RVing / p.p. / 부사구 + V」가 나온 경우

119.

Americans (in the process of creating a land of abundance) began to judge themselves
S   V   O
(by materialistic standards).

직독직해 미국인은 / 풍요로운 국가를 만드는 과정에서 / 판단하기 시작했다 / 스스로를 / 물질주의적인 기준으로

해 석 미국인은 풍요로운 국가를 만드는 과정에서 스스로를 물질주의적인 기준으로 판단하기 시작했다.

120.

The most common mistake [made (by amateur photographers)] is <**that** they are not
S   V   SC   S   V
physically close enough to their subjects>.
SC

직독직해 가장 흔한 실수는 / 아마추어 사진작가들에 의해 발생된 / 〈그런 실수는〉 그들이 / 물리적으로 충분히 가깝지 않다는 것이다 / 그들의 대상에

해 석 아마추어 사진작가들에 의해 발생되는 가장 흔한 실수는 그들이 그들의 대상에 충분히 물리적으로 가깝지 않다는 것이다.

121.

Education [promoting coping-skills and realistic strategies (for dealing with stress)]
S
is important (in helping young people recognize <**that** problems can be confronted,
V SC   V₁   O₁   OC₁ V₂   O₂   S₃   V₃
though (not necessarily) solved>).

직독직해 교육은 / 대처 기술과 실질적인 전략을 향상시키는 / 스트레스를 다루는 것에 대한 / 중요하다 / 젊은이들이 인식하도록 돕는 데 있어서 / 문제들이 맞서질 수 있다는 것을 / 비록 반드시 해결되지 않아도

해 석 스트레스를 다루는 것에 대한 대처 기술과 실질적인 대처법을 향상시키는 교육은 젊은이들이 비록 문제가 꼭 해결될 순 없어도 맞설 수는 있다고 인식하도록 도와주는 데에 있어 중요하다.

122.

<(**That**) North Korea's public food stocks, [(already) exhausted (in some parts of
the hunger-stricken country)], would have run out (by June 20)>, a U.N. official said
(Tuesday).

직독직해 북한의 공적인 식량 재고는 / 이미 고갈된 / 기아에 시달리는 그 나라의 일부 지역에서 / 바닥날 것이다 / 6월 20일쯤에는 / 한 UN 관리가 말했다 / 화요일에

해 석 기아에 시달리는 북한의 몇몇 지역에서는 이미 고갈된 북한의 공적인 식량 재고는 6월 20일이 되면 전부 바닥날 것이라고 한 UN 관리가 화요일에 말했다.

123.

The evidence [(so far) collected (by archaeologists and paleontologists)] suggests
<**that** the cradle of humankind was (in East Africa), (about five million years ago), [
when the Australopithecines (first) appeared]>.

직독직해 증거들은 / 지금까지 수집된 / 고고학자들과 고생물학자들에 의해 / 시사한다 / 인류의 요람은 / 동아프리카에 있었다는 것을 / 약 5백만 년 전에 / 오스트랄로피테쿠스가 최초로 등장했을 때

해 석 지금까지 고고학자들과 고생물학자들에 의해 수집된 증거들은 오스트랄로피테쿠스가 최초로 등장한 때인 약 5백만 년 전에 인류의 요람이 동아프리카에 있었음을 시사한다.

2 「S + 관계사절 + V」가 나온 경우

124.

One of the most common questions [that I am asked (by email)] is <**why** Alan
S   O관·대 S₁ V₁   V SC S₂
Greenspan's remarks are so important (for the behavior of the stock market)>.
      V₂   SC₂

직독직해 가장 일반적인 질문 중 하나는 / 이메일로 내가 받는 / 왜 Alan Greenspan의 말이 그렇게 중요한지이다 / 주식시장의 움직임에 있어서

해 석 이메일로 내가 받는 가장 일반적인 질문 중 하나는 왜 주식시장의 움직임에 있어서 Alan Greenspan의 말이 그렇게 중요한지이다.

125.

People [who are (still) not familiar with the computerized catalog] have to make
S   S관·대 V   SC   V₁
several telephone calls or make several car trips to find out the books [(that) they
O₁   V₂ O₂   to부정사(목적)   (O관·대 생략)
need].

직독직해 사람들은 / 여전히 익숙하지 않은 / 전산화된 카탈로그에 / <그런 사람들은> 여러 번의 전화 통화를 해야 한다 / 또는 몇 번이고 자동차를 타고 나가야만 한다 / 그들이 필요한 서적을 찾기 위해서

해 석 전산화된 카탈로그에 여전히 익숙하지 않은 사람들은 그들이 필요한 서적을 찾기 위해 여러 번의 전화 통화를 해야 하거나 몇 번이고 자동차를 타고 나가야만 한다.

126.

Everything [that the businessman discussed (with the book editor) (last night)]
S   O관·대 S   V
was proven to be false (by the investigative reporter) (from the national television
V   SC
network).

직독직해 모든 것은 / 그 사업가가 논했던 / 출판 편집자와 / 지난밤에 / 거짓임이 증명되었다 / 취재 기자에 의해 / 국영 방송국의

해 석 지난밤 그 사업가가 출판 편집자와 논했던 모든 것이 국영 방송국의 취재 기자에 의해서 거짓임이 증명되었다.

127.

A businessman [who is frustrated (by stage fright) *whenever* he must address
a conference] may devote special efforts (to overcoming this handicap) and
(consequently) may become an outstanding public speaker.

직독직해 한 사업가는 / 무대 공포증에 의해 좌절감을 느끼는 / 그가 회의에서 연설해야 할 때마다 / 특별한 노력을 기울일 것이고 / 이 약점을 극복하는 데 / 결과적으로 / 뛰어난 대중 연설가가 될지도 모른다

해석 회의에서 연설을 해야 할 때마다 무대 공포증으로 좌절을 겪는 사업가는 이 약점을 극복하는 데에 특별한 노력을 기울여 결과적으로 뛰어난 대중 연설가가 될지도 모른다.

128.

The man [who likes chess (sufficiently) (to look forward (throughout his working day)
to the game [that he will play (in the evening)])] is fortunate, but the man [who gives
up work (in order to play chess (all day))] has lost the virtue of moderation.

직독직해 그 사람은 / 체스를 상당히 좋아하는 / 고대할 만큼 / 근무시간 내내 / 그 게임을 / 저녁에 할 / 운이 좋다 / 그러나 / 사람은 / 일을 포기하는 / 체스를 하기 위해 / 하루 종일 / 절제의 미덕을 상실했다

해석 근무시간 내내 저녁에 할 체스를 고대할 만큼 상당히 체스를 좋아하는 사람은 운이 좋은 사람이다. 하지만 하루 종일 체스를 하기 위해서 일을 포기하는 사람은 절제의 미덕을 상실한 것이다.

129.

Children (in centers [that had more portable playground toys and other characteristics
[showing support (for active playtime)]]) reported about 80 more minutes of moderate
to vigorous physical activity and 140 fewer minutes of sedentary activity (each week)
compared (to centers [that were viewed as less supportive of physical activity]).

직독직해 아이들은 / 더 많은 휴대용 놀이터 장난감과 다른 특징을 갖는 센터에 있는 / 활동적인 놀이시간에 대한 지원을 보여 주는 / 보고했다 / 약 80분 더 / 적당하거나 활동적인 육체 활동을 / 그리고 / 140분 더 적은 앉아 있는 활동을 / 매주 / 육체적 활동을 덜 지지하는 것으로 보이는 센터들에 비해

해석 더 많은 휴대용 놀이터 장난감과 활동적 놀이시간에 대한 지원을 보여 주는 다른 특성들을 가진 센터들에 있는 아이들은 육체적 활동을 덜 지지하는 것으로 여겨진 센터들에 비해 매주 적당하거나 활동적인 육체 활동을 약 80분 더 많이, 앉아서 하는 활동을 140분 더 적게 하는 것으로 보고됐다.

Pattern 14

「It be + 형·명 + to RV / that절」이 나온 경우

130.

It is regrettable <**that** few people should walk (today) (because of the development of
가S V SC   진S   S   V
traffic facilities)>.

직독직해 유감스럽다 / 〈뭐가?〉 오늘날 사람들이 당연히 걷지 않는 것이 / 교통시설의 발달 때문에

해 석 오늘날 사람들이 교통시설의 발달 때문에 당연히 걷지 않는 것이 유감스럽다.

131.

It is certainly believed <**that** the function of school is to produce knowledgeable
가S V   진S   S   V SC
people.>

직독직해 확실하게 믿어진다 / 〈뭐가?〉 학교의 기능이 / 지식이 있는 사람들을 생산하는 것이라는 사실이

해 석 학교의 기능이 지식이 있는 사람들을 생산하는 것이라는 사실이 확실하게 믿어진다.

132.

It is (more) likely <**that** a small-to-medium size school would give them the benefits
가S V   SC   진S   S   V   IO   DO
of both individual attention and practical learning>.

직독직해 더 가능성이 있다 / 〈뭐가?〉 중소 규모의 학교가 / 그들에게 줄 것이라는 점이 / 개인적 관심의 혜택과 실질적인 학습 혜택을

해 석 중소 규모의 학교가 개별적인 관심과 실제적인 학습 모두의 혜택을 더 제공해 줄 수 있다.

133.

I (always) think <(that) it is sad to visit high schools and see groups of teens hurry
S   V   O (생략) 가S₁ V₁ SC₁   진S₁
(after school) (for smoking), *as if* they were waiting (all day) for it>.
                                      S₂   V₂   O₂

직독직해 나는 항상 생각한다 / 슬프다고 / 〈뭐가?〉 고등학교를 방문하고 / 십 대 그룹들이 서두르는 것을 보는 것이 / 방과 후에 / 흡연을 하려고 / 마치 그들은
하루 종일 기다리고 있었다는 듯이 / 그것을

해 석 나는 언제나 고등학교를 방문해서 십 대 그룹들이 방과 후에 마치 그들이 그것을 위해 하루 종일 기다리고 있었다는 듯이 서둘러 흡연하러 가는 것을
보는 것이 슬프다고 생각한다.

134.

It has been calculated <that people [who worked (in cities) (during the 1990s)] spent
가S V   진S S₁   S관·대 V₂   V₁
the equivalent of three whole years of their lives ((in) battling (through the rush-hour
O₁   (생략)
traffic) (on their way to and from work))>.

직독직해 계산되어 왔다 / 〈뭐가?〉 사람들이 / 도시에서 일했던 / 1990년대에 / 보냈다는 것이 / 그들 인생의 3년과 맞먹는 시간을 / 혼잡한 교통과 싸우면서 / 출퇴
근길에

해 석 1990년대 도시에서 일했던 사람들이 혼잡한 출퇴근길에서 보냈던 시간을 모두 계산하면 인생에서 3년에 해당하는 시간이라고 한다.

135.

It has been suggested <that environment is the predominant factor (in the incidence
가S₁V₁   진S₁ S₁   V₁ SC₁
of drug addiction)>, but recent studies (with twins) [separated (at birth)] indicate
                          S₂   V₂
<that a predisposition (to addiction) can be inherited>.
O₂ S₂   V₂

직독직해 제안되어져 왔다 / 〈뭐가?〉 환경은 두드러진 요인이라는 것이 / 마약 중독의 발생에 있어서 / 그러나 / 최근의 연구 결과는 / 쌍둥이들을 대상으로 / 태
어나면서부터 따로 자란 / 보여 준다 / 중독 경향은 유전될 수 있다는 것을

해 석 마약 중독의 발생에 있어서 환경이 두드러진 요인이라고 생각되어 왔으나, 태어나면서부터 따로 자란 쌍둥이들을 대상으로 한 최근의 연구 결과를 보
면 중독 경향이 유전될 수 있다는 것을 알 수 있다.

136.

"It is an odd fact," notes the social historian Alan Jenkins, "<**that** (in war), *when*
ㅤ O가S₁ V₁ SC₁ㅤㅤㅤ V ㅤ Sㅤㅤㅤㅤㅤㅤㅤㅤㅤㅤㅤㅤㅤ 진S₁
people are so busy prosecuting hostilities ***that*** they should (theoretically) have no time
ㅤ S₂ ㅤ V₂ ㅤㅤㅤㅤㅤㅤ O₂ ㅤㅤㅤㅤㅤㅤㅤㅤ S₃ V₃ ㅤㅤㅤㅤㅤㅤㅤㅤㅤㅤㅤㅤㅤㅤ O₃
[to read], they (somehow) find time [to read] more than they (ever) read (in peace)>."
ㅤㅤㅤㅤㅤ S₄ ㅤㅤㅤㅤㅤㅤ V₄ ㅤ O₄ ㅤㅤㅤㅤㅤㅤㅤㅤㅤ S₅ ㅤㅤㅤㅤㅤ V₅

직독직해 "이상한 사실이다"라고 / 사회역사학자인 Alan Jenkins는 말한다 / 〈뭐가?〉 전시에 사람들이 전투를 행하느라 너무 바빠서 / 그들이 이론적으로 책을 읽을 시간이 없었을 때 / 그들은 어떻게든 책을 읽을 시간을 갖는다는 것이 / 평상시 그들이 읽는 것보다 더 많이

해 석 "전시에 사람들이 전투를 행하느라 너무 바빠서 그들이 이론적으로 책을 읽을 시간이 없었을 때 그들은 평상시 그들이 읽는 것보다 더 많이 어떻게든 책을 읽을 시간을 갖는다는 것이 이상한 사실이다." 라고 사회역사학자인 Alan Jenkins는 말한다.

137.

It is a fact of social history <**that** those things [which are regarded as luxuries (in one
가S V ㅤ SC ㅤㅤㅤㅤㅤㅤㅤㅤㅤ 진S₁ ㅤㅤ S₁ ㅤㅤㅤ S관·대 ㅤ V₂ ㅤㅤㅤㅤㅤㅤ SC₂
period)] do not appear so (in another period)>, <**that** a comfort [which is extended
ㅤㅤㅤㅤㅤ V₁ ㅤㅤㅤㅤㅤㅤ SC₁ ㅤㅤㅤㅤㅤㅤㅤㅤㅤㅤㅤ 진S₂ ㅤ S₃ ㅤㅤㅤ S관·대 ㅤ V₄
(only) (to a particular class) (as an exceptional right)] will (later) appear (as a
ㅤㅤㅤㅤㅤㅤㅤㅤㅤㅤㅤㅤㅤㅤㅤㅤㅤㅤㅤㅤㅤㅤㅤㅤㅤㅤㅤㅤㅤㅤㅤ V₃
necessity) (for everyone)>.

직독직해 사회사의 사실이다 / 〈뭐가?〉 사치품으로 여겨졌던 물건들이 / 한 시대에서 / 그렇게 보이지 않고 / 다른 시대에서는 / 오직 특정한 계층에게만 예외적인 권리로 주어진 편안함은 / 나중에는 모든 사람에게 필수품으로 나타나게 될 것이라는 점이

해 석 한 시대에서는 사치품으로 여겨지던 물건들이 다른 시대에서는 그렇게 보이지 않는다는 것과, 특정한 계층에게까지만 예외적인 권리로 주어진 편안함이 나중에는 모든 사람에게 필수품으로 나타나게 된다는 것은 사회사의 사실이다.

138.

Since our democratic system of government is based on representation, and effective
ㅤㅤㅤ S₁ ㅤㅤㅤㅤㅤㅤㅤㅤㅤㅤㅤㅤㅤㅤㅤㅤㅤ V₁ ㅤㅤㅤ O₁ ㅤㅤㅤㅤㅤㅤㅤㅤ S₂
representation (in turn) depends on communication (between candidates and voters),
ㅤㅤㅤㅤㅤㅤㅤㅤㅤㅤㅤㅤㅤ V₂ ㅤㅤㅤㅤ O₂
it is clear <**that** the success of our form of government depends (to a great extent)
가S V ㅤ SC ㅤㅤㅤㅤ 진S ㅤ S₃ ㅤㅤㅤㅤㅤㅤㅤㅤㅤㅤㅤㅤㅤㅤㅤㅤㅤㅤ V₃
upon the use of language>.
ㅤㅤㅤ O₃

직독직해 우리의 민주적 통치 제도는 / 기초하고 있고 / 대의제도에 / 효과적인 대의 제도는 / 결국 / 의존하고 있으므로 / 후보자와 유권자 간의 대화에 / 명백하다 / 〈뭐가?〉 우리 정부 형태의 성공은 / 크게 의존하고 있다는 것이 / 언어 사용에

해 석 우리의 민주적 통치 제도는 대의 제도에 입각하고 있으며, 효과적인 대의 제도는 결과적으로 후보자와 유권자 간의 대화에 의존하고 있으므로 우리 정부 형태의 성공은 언어 사용에 크게 의존하고 있다는 것이 분명하다.

「It ~ that」 강조 구문

139.

It ~ that 강조 구문

It was Peter **that** my aunt took (to London) (yesterday), (not Lucy).
   O   S   V

직독직해 바로 Peter였다 / 나의 숙모가 어제 런던에 데리고 간 사람은 / Lucy가 아니라

해 석 나의 숙모가 어제 런던에 데리고 간 사람은 Lucy가 아니라 바로 Peter였다.

140.

It ~ that 강조 구문

It is (as a pupil and admirer) **that** I stand (at the grave of the greatest man) [who
                           S V   S관·대
taught me (in college)].
 V   O

직독직해 바로 학생이자 숭배자로서이다 / 내가 서 있는 것은 / 가장 위대한 분의 무덤에 / 나를 가르쳐 주셨던 / 대학에서

해 석 나를 대학에서 가르치셨던 가장 위대한 분의 무덤에 내가 서 있는 것은 바로 학생이자 숭배자로서이다.

141.

It ~ that[who] 강조 구문

It is our parents **who** have given us our sense of right and wrong, our understanding
     S   V   IO DO
of love, and our knowledge (of <**who** we are>).

직독직해 바로 우리의 부모님이다 / 우리에게 주었던 사람은 / 옳고 그름에 대한 지각과, 사랑에 대한 이해와, 그리고 우리가 누구인지에 대한 인식을

해 석 옳고 그름에 대한 지각, 사랑에 대한 이해, 그리고 우리가 누구인지에 대한 인식을 갖게 한 사람은 바로 우리의 부모님이다.

142.

It ~ that 강조 구문

It was the gradual transition (from hunting and gathering) (to agriculture) **that** opened
     S   V
up new possibilities (for cultural development).
    O

직독직해 바로 점진적인 변화였다 / 수렵과 채집으로부터 / 농업으로의 / 새로운 가능성을 열어준 것은 / 문화 발전을 위해

해 석 문화 발전을 위한 새로운 가능성을 열어 준 것은 수렵과 채집에서 농업으로의 점진적인 변화였다.

143.

It ~ that 강조 구문

It is **when** you are superior to your previous self **that** you are (truly) praiseworthy.
　　　　　　　S　V　SC　　비교대상　　　　　　　S　V　　SC

직독직해 바로 네가 이전의 너 자신보다 우월한 때이다 / 네가 진정으로 칭찬받을 가치가 있는 때는

해　석 네가 진정으로 칭찬받을 가치가 있는 때는 바로 네가 이전의 너 자신보다 우월한 때이다.

144.

It ~ that 강조 구문

It is not so much <**what** a man wears> as the way [he wears it] **that** marks the born
　　S　　　　　　　　　　　　　　　It ~ that 강조 구문　　　　　　　V　　O
gentleman. The same can be said (of a woman); **it** is the manner [in which her clothes
　　　　　　S1　　V1　　　　　　　　　　　　　S2　　　　　전O관·대　S
are worn] **that** distinguishes a true lady.
V　　　　　V2　　　　　O2　　　　　　　　　* not so much A as B: A라기보다는 B인

직독직해 그가 무엇을 입는지라기보다는 그것을 어떻게 입는가이다 / 타고난 신사를 보여 주는 것은 // 동일한 것은 적용될 수 있다 / 여자에게도 / 바로 그녀의 옷이 입혀진 방식이다 / 진짜 숙녀를 구분하는 것은

해　석 무엇을 입는지보다는 그것을 어떻게 입는지가 그가 타고난 신사라는 것을 보여 준다. 동일한 것은 여자에게도 적용될 수 있다. 그녀가 옷을 입은 방법이 진짜 숙녀를 판가름해 준다.

145.

(Very, very early) (in my boyhood) I had acquired the habit of going about (alone)
　　　　　　　　　　　　　　　　　S1 V1　　　　　　　　　　O1
It ~ that 강조 구문
(to amuse myself (in my own way)), and **it** was (only after years), **when** my age was
to부정사(목적)　　　　　　　　　　　　　　　　　　　　　　　　　　S1　　V1
about twelve, **that** my mother told me <**how** anxious this singularity (in me) used to
SC1　　　　　　　S2　　V2　IO2　DO2　OC2　　　S2　　　　　　　V2
make her>.
　O2

직독직해 나의 이른 유년 시절에 / 나는 혼자 돌아다니는 습관을 얻었다 / 즐기기 위해 / 내 방식대로 / 그리고 / 바로 몇 년 후였다 / 나의 나이가 약 12살이었을 때 / 나의 어머니가 나에게 말했던 때는 / 얼마나 불안하게 / 내 안의 특이성이 / 만들었는지 / 어머니를

해　석 내가 아주 어렸을 적에, 나는 내 방식대로 즐기기 위하여 혼자서 나돌아다니는 습관이 들게 되었고 내 나이가 약 12살 되던 때인 몇 해가 흐른 후에야 비로소 나의 어머니께서 나의 그 특이성이 어머니를 얼마나 불안하게 만들었는가를 나에게 말씀해 주셨다.

146.

It ~ that 강조 구문

It is ***because*** <u>particular individuals</u>, [(who are) fortunate (in situation) or (in
S₁ (S관·대 + be동사 생략)

abilities)], <u>are able to take</u> advantage of <u>uncertainty</u> and <u>ignorance</u>, and (also) ***because***
V₁ O₁

(for the same reason) <u>big business</u> <u>is</u> (often) <u>a lottery</u>, **that** <u>great inequalities of wealth</u>
S₂ V₂ SC₂ S

<u>come about</u>.
V

직독직해 바로 왜냐하면 특정 개인이 / 상황 혹은 능력에서 운이 좋은 / 불확실성과 무지를 이용할 수 있기 때문이다 / 그리고 또한 동일한 이유로 / 큰 사업은 /
종종 복권 같은 것이기 때문이다 / 부의 불평등이 생기는 것은

해 석 부의 불평등이 생기는 것은 바로 상황 혹은 능력에서 운이 좋은 특정 개인들이 불확실성과 무지를 이용할 수 있고, 또한 같은 이유로 큰 사업은 종종
복권과 같은 것이기 때문이다.

Pattern 16 It이 주어로 쓰이는 다양한 표현

147.

비인칭S
It is raining (in the mountains).
V

직독직해 비가 내린다 / 산에

해석 산에 비가 내린다.

148.

비인칭S
It is twenty miles (from here) (to Seoul Station).
V   SC

직독직해 20마일이다 / 여기서 서울역까지

해석 여기서 서울역까지 20마일이다.

149.

비인칭S
It was long *before* I realized <**that** the only thing [that mattered (to me) (in a work of
V   SC   S₁ V₁   O₁   S₂   S관·대
art)] was <**what** I thought about it>>.
V₂   SC₂

직독직해 오래 걸렸다 / 내가 깨닫기 전까지 / 단 하나 / 나에게 중요한 것은 / 예술 작품에 있어서 / 그것에 대해 내가 어떻게 생각하는지였다

해석 오랜 시일이 지나서야 예술 작품에 있어서 단 하나 나에게 중요한 것은 예술 작품에 대해 내가 어떻게 생각하는지였다는 것을 나는 깨달았다.

150.

If a book does not interest us, it does not follow <**that** the fault is (in the book)>.
S₁   V₁   O₁ 가V   진S   S₂   V₂

직독직해 책이 우리의 흥미를 끌지 못한다면 / 결과적으로 ~인 것은 아니다 / 〈뭐가?〉 그 잘못이 책에 있다는 것이

해석 책이 우리의 흥미를 끌지 못한다 하더라도, 그 잘못이 책에 있다고 할 수는 없다.

151.

It may be <**that** animals have some special sense [that tells them of coming
가S V 진S S₁ V₁ O₁ S관·대 V₂ IO₂ DO₂
weather]>.

직독직해 아마 ~일지도 모른다 / 〈뭐가?〉 동물들은 어떤 특별한 감각을 갖고 있다는 것이 / 그들에게 다가오는 날씨를 알려 주는

해　석 아마 동물들은 다가오는 날씨를 미리 알 수 있는 어떤 특별한 감각을 가지고 있는지도 모른다.

152.

It was not long *before* each of us (in the dorm) felt <**that** this man [who was every
S V SC S₁ V₁ O₁ S₂ S관·대 V₃ SC₃
plant's best friend] was our friend, (too)>.
V₂ SC₂

직독직해 오래지 않았다 / 기숙사에 있는 우리 모두가 느끼기까지는 / 이 사람이 / 모든 식물의 가장 친한 친구인 / 우리의 친구라는 것을 / 또한

해　석 오래지 않아 기숙사에 있는 우리 모두가 모든 식물의 가장 친한 친구인 이 사람이 또한 우리의 친구이기도 하다는 것을 느끼게 되었다.

153.

If you ask people <**what** animals they hate or fear (most)>, chances are <(that) you
S₁ V₁ IO₁ DO₁ O₂ S₂ V₂ S V SC (생략) S₃
will hear the following: skunks, bats, snakes and rats>.
V₃ O₃ 부연 설명

직독직해 만약 당신이 사람들에게 묻는다면 / 그들이 어떤 동물을 가장 싫어하거나 두려워하냐고 / 아마 ~일 것이다 / 당신은 듣는다 / 다음과 같은 말을 / 스컹크, 박쥐, 뱀 그리고 쥐

해　석 만일 당신이 사람들에게 어떤 동물을 가장 싫어하거나 두려워하냐고 묻는다면 아마 스컹크, 박쥐, 뱀 그리고 쥐와 같은 말을 듣게 될 것이다.

Pattern 17 **무생물 주어가 나온 경우**

154.

A loud report of a gun (in the street) brought her to the window of the cafe.
S · V · · · · · O · · OC의 일종

직독직해 거리에서 울린 큰 총성이 / 데려왔다 / 그녀를 / 카페의 창 쪽으로

해 석 거리에서 울린 큰 총성이 그녀를 카페의 창 쪽으로 데려왔다.

155.

Our first meeting was (at an obscure library), [where the accident of our (both) being
S · · · · · · · · · · · V · 관·부 · · · S

(in search of the same very rare volume) brought us into closer communion].
· V · · · · · O · · OC의 일종

직독직해 우리들의 첫 만남은 / 있었다 / 어느 어두컴컴한 도서관에서, / 〈그런데 그 도서관에서〉 우연함이 / 우리 둘 다 똑같이 매우 희귀한 책을 찾는다는 것의 / 이끌었다 / 우리를 / 더 가까운 친교 쪽으로

해 석 우리들의 첫 만남은 어느 어두컴컴한 도서관에서 있었는데, 우리 둘 다 똑같이 매우 희귀한 책을 찾는다는 것의 우연함이 우리를 더 가까운 친교 쪽으로 이끌었다.

156.

A child [who is lost] is (still) advised to find a policeman, but the sight of a police
S₁ · · · · S관·대 V SC · · V₁ · · · · · · · · · · · · · SC₁ · · · · · · · · · · but · · S₂

officer (no longer) creates a feeling of reassurance.
· · · · · · · · · · · · · · V₂ · · · · O₂

직독직해 한 아이는 / 길을 잃은 / 여전히 조언받는다 / 경찰을 찾도록 / 하지만 / 경찰을 보는 것은 / 더 이상 일으키지 않는다 / 안심의 감정을

해 석 길을 잃은 아이는 여전히 경찰을 찾아보라는 조언을 받지만 경찰을 보아도 더 이상 안심이 되지는 않는다.

157.

Luck or the grace of Heaven may seem to take part in many happenings (in life), but a
_{S₁}   V₁   O₁   S₂

little deeper looking into the causes of them reveals <**that** one's own efforts were (by
                                V₂   O₂   S₁   V₁

far) more responsible (for them) than most people imagine>.
      SC₁   S₂   V₂

직독직해 운이나 하나님의 은혜가 / 인생에서 많은 일들에 관여하는 것 같지만 / 약간 더 깊게 그것들의 원인들을 조사하는 것은 드러낸다 / 자기 자신의 노력들이 훨씬 더 책임이 있었다는 것을 / 그 일들에 대해 / 대부분의 사람들이 생각하는 것보다

해 석 운이라든가 하나님의 은혜가 인생의 많은 일에 관여하는 것 같지만 그런 일들의 원인을 좀 더 깊이 검토해 보면 자기 자신의 노력이 대부분의 사람들이 생각하는 것보다 훨씬 더 많이 그 원인에 책임이 있다는 것을 알 수 있다.

158.

A slender acquaintance (with the world) must convince every man <**that** actions, (not
_S   V   IO   DO₁   S₁

words), are the true standard of judging the attachment of friends>, and <**that** the
       V₁   SC₁   DO₂   S₂

most liberal professions of good-will are very far from being the surest marks of it>.
                                V₂   SC₂

직독직해 약간 아는 것은 / 세상에 대해 / 반드시 확신을 준다 / 모든 사람에게 / 행동이 / 말이 아니라 / 친구들의 애착을 판단하는 진정한 기준이며 / 그리고 선의의 가장 아낌없는 공언이 아주 멀다고 / 그것의 가장 확실한 표시와

해 석 세상을 좀 알게 되면, 우정을 판단하는 진정한 척도는 말이 아니라 행동이라는 것, 선의를 아무리 아낌없이 공언하는 것이 결코 우정의 가장 확실한 표시가 되지 않는다는 것을 누구나 틀림없이 확신하게 될 것이다.

159.

(In the age of abundance), the apparent availability of virtually all material necessities
                                            S

tended to lead people to expect speedy gratification of their desires and to have little
   V   O   OC₁   OC₂

sense of the length of time [over which people (in other times and places) had had to
                             전O관·대   S₁   V₁

wait (in order to have some of their more basic material needs satisfied)].
  to부정사(목적)   V₂   O₂   OC₂

직독직해 풍요의 시대에서 / 사실상 모든 물질적인 필수품의 명백한 이용 가능성은 / 이끄는 경향이 있었다 / 사람들을 / 그들의 욕구의 빠른 충족을 기대하도록 / 그리고 / 시간의 길이의 개념을 갖지 않도록 / 다른 시대와 다른 지역의 사람들은 기다려야만 했었던 / 좀 더 기본적인 물질적 욕구가 충족되도록 하기 위해

해 석 풍요의 시대에 사실상 모든 물질적인 필수품의 명백한 이용 가능성은 사람들이 자신들이 원하는 것을 곧바로 얻을 수 있다고 생각하게 하고, 다른 시대와 다른 지역의 사람들이 좀 더 기본적인 물질적 욕구를 충족시키기 위해서 기다려야만 했었던 시간의 길이에 대한 개념을 이해하는 마음을 거의 갖지 못하게 하였다.

PART 03

목적어편

Chapter 01 목적어의 기본 형태

Pattern 18

「V + 준동사 / 명사구 / 명사절 / 명사 + 수식어」가 나온 경우

1 「V + to RV / RVing / 명사구」가 나온 경우

160.

I regret to inform you <**that** I am giving four weeks' notice of my resignation (from
the company)>.

직독직해 나는 / 유감이다 / 당신에게 알리게 되어 / 내가 / 전한다는 것을 / 4주 후에 사직한다는 통보를

해석 나는 내가 4주 후에 사직한다는 통보를 전한다는 것을 당신에게 알리게 되어서 유감입니다.

161.

The great English historian had (perhaps) the most remarkable memory.

직독직해 그 위대한 영국의 역사가는 / 아마 가지고 있었다 / 가장 훌륭한 기억력을

해석 그 위대한 영국의 역사가는 아마 가장 훌륭한 기억력을 가지고 있었다.

162.

Many women began realizing the role and images [forced (upon them) (by a male-
dominated society)] and started to do something (about it).

직독직해 많은 여성들이 / 깨닫기 시작했다 / 역할과 이미지를 / 그들에게 강요된 / 남성 지배 사회에 의해서 / 그리고 / 뭔가를 하기 시작했다 / 그것에 대해

해석 많은 여성들이 남성 지배 사회에 의해서 그들에게 강요된 역할과 이미지를 깨닫기 시작했고, 그것에 대해 어떠한 대책을 강구하기 시작했다.

163.

New therapies include inactivating damaged genes and boosting the immune system's
ability [to destroy cancerous cells].

직독직해 새로운 요법은 / 포함한다 / 손상된 유전인자를 비활성화하는 것과 / 면역체계의 능력을 높이는 것을 / 암에 걸린 세포를 파괴하는

해석 새로운 요법은 손상된 유전인자를 비활성화하는 것과 암에 걸린 세포를 파괴하는 면역체계의 능력을 높이는 것을 포함한다.

164.

(Contrary to those museums' expectations), (however), he has decided to retain
　　　　　　　　　　　　　　　　　　　　　　　　　　　　　　　　　S₁　V₁　　　O₁
permanent control of his works (in an independent foundation) [that makes loans (to
　　　　　　　　　　　　　　　　　　　　　　　　　　　　　　　S관·대　V　　O
museums)] rather than (to) give any of the art away.
　　　　　　　　　　　　(생략)　O₂

직독직해 그 박물관들의 기대와 반대로 / 그러나 / 그는 결정했다 / 그의 예술 작품의 영구적 통제권을 유지하는 것을 / 박물관에 대여를 하는 독립 재단 안에서 / 어떤 예술품이라도 넘겨주기보다는

해　석 그 박물관들의 기대들과 반대로 그는 그 어떤 예술품이라도 넘겨주기보다는 박물관에 대여를 하는 독립 재단 안에서 작품들에 대한 영구적인 통제권을 계속 소유하기로 결정했다.

2　「V + 명사절」이 나온 경우

165.

We will find out <who is going to be named champion>.
S　V　　　　　　O

직독직해 우리는 / 알게 될 것이다 / 누가 챔피언으로 호명될지를

해　석 우리는 누가 챔피언으로 호명될지를 알게 될 것이다.

166.

Most of the board members cannot decide <whether they will continue with the project
S　　　　　　　　　　　　　V　　　　　O　　　　S　V₁　　　　　　O₁
or start over with some fresh ideas>, (like your plan) (for the intersection at Main and
　　V₂　　　　　O₂
Fifth Street).

직독직해 위원회 구성원 대부분은 / 결정하지 못한다 / 그들이 그 프로젝트를 지속할지 / 또는 어떤 새로운 아이디어로 다시 시작할지를 / 당신의 계획처럼 / 메인가와 5가 사이의 교차로에 관한

해　석 위원회 구성원 대부분은 메인가와 5가 사이의 교차로에 관한 당신의 계획처럼 그들이 그 프로젝트를 지속할지 또는 어떤 새로운 아이디어로 다시 시작할지를 결정하지 못한다.

167.

I cannot help but regret <how little I am able to contribute (to the discussion (of the
S　V　　　　　　　　O　　　　　S　V
many debatable questions))>.

직독직해 나는 / 유감스러워 하지 않을 수 없다 / 거의 기여할 수 없는 것을 / 많은 논란의 여지가 있는 문제의 토론에

해　석 나는 많은 논란의 여지가 있는 문제의 토론에 거의 기여할 수 없는 것을 유감스러워 하지 않을 수 없다.

168.

A Melbourne study of 6,000 people showed <**that** owners of dogs and other pets had
S   V   O   S₁   V₁
lower cholesterol, blood pressure and heart attack risk compared with people [who
O₁   S관·대
didn't have pets]>.
V₂   O₂

직독직해 6천 명의 사람을 대상으로 한 멜버른의 한 연구는 / 보여 줬다 / 개와 다른 애완동물의 주인은 / 더 낮은 콜레스테롤, 혈압, 심장마비 위험을 가진다고 /
비교했을 때 / 애완동물을 가지고 있지 않은 사람들과

해 석 6천 명의 사람을 대상으로 한 멜버른의 한 연구는 개와 다른 애완동물을 기르는 사람들이 애완동물을 데리고 있지 않았던 사람들과 비교하면 더 낮은
콜레스테롤, 혈압 그리고 심장마비 위험을 가졌다는 것을 알아냈다.

169.

When Thomas Edison proclaimed (in 1922) <**that** the motion picture would replace
      S₁   V₁   O₁   S₂   V₂
textbooks (in schools)>, he began a long string of spectacularly wrong predictions
O₂   S   V   O
(regarding the capacity of various technologies [to revolutionize teaching]).

직독직해 토머스 에디슨이 / 선언했을 때 / 1922년에 / 영화가 교과서들을 대체할 것이라고 / 학교에서 / 그는 / 시작했다 / 긴 일련의 굉장히 잘못된 예측들을 /
다양한 기술의 능력에 관한 / 교육에 혁명을 일으킬

해 석 토머스 에디슨이 1922년에 영화가 학교에서 교과서들을 대체할 것이라고 선언했을 때, 그는 교육에 혁명을 일으킬 다양한 기술의 능력들에 관하여
긴 일련의 굉장히 잘못된 예측들을 시작했다.

3 「V + 명사 + 수식어」가 나온 경우

170.

We (simply) do not have the technology [to travel (to the nearest star) (in a human
S   V   O   수식어
lifetime)].

직독직해 우리는 / 단순히 가지고 있지 않다 / 기술을 / 여행을 갈 수 있는 / 가장 가까운 별로 / 사람의 한평생 동안

해 석 우리는 사람의 한평생 동안 가장 가까운 별로 여행을 갈 수 있는 기술을 그저 가지고 있지 않다.

171.

Our incredible growth rate leads to a continuous recruitment of ambitious programmer
analysts [who have the desire [to make a significant contribution (to an expanding
company)]].

직독직해 우리의 놀라운 성장률은 / 이끌었다 / 야망 있는 프로그램 분석자들의 지속적인 채용을 / 욕구를 갖고 있는 / 상당한 공헌을 하려는 / 확장 중인 회사에

해석 우리의 놀라운 성장률은 확장 중인 회사에 상당한 공헌을 하길 바라는 야망을 가진 프로그램 분석자들의 지속적인 채용을 이끌었다.

172.

Greek and Chinese inventors made clever moving statues [that could duplicate the
actions of a person or animal, (such as playing a musical instrument or flapping wings
and crowing)].

직독직해 그리스와 중국의 발명가들은 / 만들었다 / 기발한 움직이는 조각상들을 / 사람이나 동물의 행동을 모방할 수 있는 / 예를 들어 / 악기를 연주하거나 / 날개를 퍼덕거리고 꼬끼오 우는 것과 같은

해석 그리스와 중국의 발명가들은 악기를 연주하거나 날개를 퍼덕거리고 꼬끼오 우는 것과 같은 사람이나 동물의 행동들을 복제할 수 있는 기발한 움직이는 조각상들을 만들었다.

173.

Active euthanasia means <that a physician or other medical personnel takes a
deliberate action [that will induce death]>. Passive euthanasia means letting a patient
die (for lack of treatment) or suspending treatment [that has begun].

직독직해 적극적인 안락사는 / 의미한다 / 의사 혹은 다른 의료진이 / 의도적인 조치를 취하는 것을 / 죽음으로 유도할 // 수동적인 안락사는 / 의미한다 / 환자가 죽게 내버려 두는 것을 / 치료의 결여로 / 또는 치료를 중지하는 것을 / 이미 시작한

해석 적극적인 안락사는 의사 혹은 다른 의료진이 죽음으로 유도할 의도적인 조치를 취하는 것을 의미한다. 수동적인 안락사는 환자가 치료의 결여로 죽도록 놔두거나 이미 시작한 치료를 중지하는 것을 의미한다.

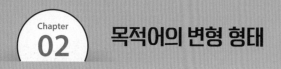

Pattern 19

「O + S + V」/「S + V + OC + O」가 나온 경우

174.

<**What** would be the outcome of the contest> nobody knew.
    O   V   SC   S   V

직독직해 무엇이 그 대회의 결과가 될지 / 아무도 몰랐다

해 석 무엇이 그 대회의 결과가 될지 아무도 몰랐다.

175.

He made possible an instrument of destruction [with which the earth could be totally
S V   OC   O   전O관·대   S   V
disfigured].

직독직해 그는 / 가능하도록 만들었다 / 파괴용 도구를 / 〈그런데 그 도구를 가지고〉 지구는 완전히 흉해질 수도 있다

해 석 그는 지구가 완전히 흉해질 수도 있는 파괴용 도구가 가능하도록 만들었다.

176.

No word was spoken, but the wide variety of gestures made clear (to everyone) <**what**
S₁   V₁   S₂   V₂   OC₂   O₂
the performer was saying>.
S   V

직독직해 말을 하지 않았다 / 하지만 다양한 몸짓이 / 명확하도록 만들었다 / 모든 사람들에게 / 연기자가 무엇을 말하고 있는지를

해 석 말을 하지 않았지만 다양한 몸짓이 연기자가 무엇을 말하고 있는지를 모든 사람들에게 명확하도록 만들었다.

177.

Machines have made possible the mass production of all kinds of goods.
S   V   OC   O

직독직해 기계는 / 가능하도록 만들어 왔다 / 모든 종류의 상품의 대량 생산을

해 석 기계는 모든 종류의 상품의 대량 생산을 가능하게 해왔다.

178.

\<**How** many minutes had passed\> the child did not know, but he (suddenly) found a
O₁   S   V   S₁   V₁   S₂   V₂   O₂
little girl standing (before him).
    OC₂

직독직해 몇 분이나 흘렀었는지를 / 그 아이는 몰랐다 / 하지만 / 그는 갑자기 발견했다 / 한 소녀가 서있는 것을 / 그의 앞에

해 석 몇 분이나 지났는지 그 아이는 몰랐지만, 한 소녀가 자기 앞에 서있는 것을 갑자기 발견했다.

179.

The only way [in which social life can continue] is (for each individual) to keep
S   전O관·대   S₁   V₁   V   의미상 주어   SC   V₂
unimpaired his or her own independence and self-respect as well as that of others.
OC₂   O₂

직독직해 유일한 방법은 / 사회생활이 지속될 수 있는 / 각 개인이 / 상하지 않게 유지하는 것이다 / 자신의 독립과 자존심을 / 타인의 독립과 자존심뿐만 아니라

해 석 사회생활의 지속을 가능하게 하는 유일한 방법은 각자가 타인의 독립과 자존심뿐만 아니라 자신의 독립과 자존심도 손상되지 않게 유지하는 것이다.

180.

There is a deep-rooted tendency [to dislike, to distrust, and to regard as inferior
  V₁   S₁   V₁   V₂   V₃   OC₃
individuals or groups [speaking a language [(which is) different from one's own]]]
O₁₂₃   (S관·대 + be동사 생략)
just as one considers the monkey a lower animal *because* it has no language (at all).
    S₄   V₄   O₄   OC₄   S₅ V₅   O₅

직독직해 깊게 뿌리박힌 경향이 있다 / 싫어하고, 의심하고, 그리고 개인이나 집단을 열등하다고 간주하는 / 말을 사용하는 / 자기들의 말과는 다른 / 사람이 간주하는 것과 마찬가지로 / 원숭이가 하등한 동물이라고 / 왜냐하면 그것은 언어를 갖고 있지 않기 때문에 / 전혀

해 석 원숭이가 언어를 전혀 가지고 있지 않기 때문에 사람들이 그들을 자기보다 하등한 동물이라고 생각하는 것과 마찬가지로, 사람들은 자기들의 언어와는 다른 언어를 사용하는 개인 또는 집단을 싫어하고 의심하고 열등시하는 경향이 깊이 뿌리박혀 있다.

Pattern 20 가목적어-진목적어의 해석

181.

I found it really enjoyable to ride a snowboard (in winter).
S V   가O OC   진O

직독직해 나는 / 깨달았다 / 정말 즐겁다는 것을 / 〈뭐가?〉 겨울에 스노보드를 타는 것이

해   석 나는 겨울에 스노보드를 타는 것이 정말 즐겁다는 것을 깨달았다.

182.

Having a driver's license makes it easy for teenagers to go out (to parties, movies, and
S   V   가O OC   의미상 주어   진O
malls).

직독직해 운전면허를 취득하는 것은 / 쉽게 만든다 / 〈뭐를?〉 십 대들이 가는 것을 / 파티나 영화관 또는 쇼핑몰에

해   석 운전면허를 취득하는 것이 십 대들이 파티나 영화관 또는 쇼핑몰에 가는 것이 쉽도록 만든다.

183.

It is up to you to abolish war and to see to it <**that** the necessities of life are made
가S V   진S₁   진S₂   가O 진O   S   V
available (to all mankind)>.
SC

직독직해 그것은 / 여러분에게 달려있다 / 〈뭐가?〉 전쟁을 없애는 것은 / 그리고 조처하는 것은 / 생활필수품이 / 이용 가능하게 되도록 / 모든 인류에게

해   석 전쟁을 없애는 것, 그리고 생활필수품이 모든 인류에게 이용 가능하도록 만들어지게 조처하는 것이 여러분에게 달려있다.

184.

(Because of his somnolent voice), the students find it difficult to concentrate (in his
　　　　　　　　　　　　　　　　　　　S　　　　V　가O OC　진O
classes).

직독직해 그의 나른하게 하는 음성 때문에 / 그 학생들은 발견한다 / 어렵다는 것을 〈뭐가?〉 집중하는 것이 / 그의 수업 중에

해　석 그의 나른하게 하는 음성 때문에, 그 학생들은 그의 수업 시간에 집중하는 것이 어렵다고 깨닫는다.

185.

We should not, (therefore), attempt to abolish competition, but (only) (attempt) to see
S　V₁　　　　　　　　　　　　　　　　　O₂　　　　　　　　　　　(생략)　　V₂
to it <**that** it takes forms [which are not (too) injurious]>.
가O₂ 진O₂ S₁ V₁　O₁　S관·대　V₂　　　SC₂

직독직해 따라서 / 우리는 시도해야 하는 것이 아니라 / 경쟁을 없애는 것을 / 단지 조처해야 한다 / 경쟁이 형태를 취하도록 / 지나치게 유해하지 않은

해　석 따라서 우리는 경쟁을 없애려고 하기보다는 오히려 그 경쟁이 지나치게 유해한 형태가 되지 않도록 조처해야 한다.

186.

(Meanwhile), the underlying problem remains unaddressed and may worsen, and the
　　　　　　S　　　　　　　　V₁　　SC₁　　　　　V₂　　　S₃
side effects of the symptomatic solution make it (still) harder to apply the fundamental
　　　　　　　　　　　　　　　　　V₃　가O₃　OC₃　진O₃
solution.

직독직해 그 사이에 / 근본적인 문제는 / 남아 있고 / 언급되지 않은 상태로 / 그리고 더 악화될 수도 있으며 / 그리고 / 증상에 따른 해결책의 부작용들이 / 만들 수 있다 / 훨씬 더 어려워지도록 / 〈뭐가?〉 근본적인 해결책을 적용하는 것을

해　석 그 사이에, 근본적인 문제는 언급되지 않은 채 남아있고 더 악화될 수도 있으며, 증상에 따른 해결책의 부작용들이 근본적인 해결책을 적용하는 것을 훨씬 더 어렵게 만든다.

187.

The problem is <**that** *when* nutrients are studied (in isolation), we ignore the vastness
of the system (as a whole), making it (extremely) difficult to know <**what** any given
nutrient's effect really is (within the system)>>.

직독직해 문제는 / 영양소가 연구될 때 / 별개로 / 우리는 무시하는 것이다 / 그 체계의 광대함을 / 전체로서 / 극도로 어렵게 만들면서 / 〈뭐가?〉 어떤 특정한 영양소의 효과가 정말로 무엇인지 아는 것을 / 그 체계 안에서

해　석 문제는 영양소들이 별개로 연구될 때, 우리는 전체로서의 그 체계의 광대함을 간과하게 되고, 어떤 특정한 영양소의 효과가 정말로 그 체계 안에서 어떤지를 아는 것을 극히 어렵게 만든다는 것이다.

188.

(Rather), the best way [to bring out one's mature empathic potential] is through
induction, [in which parents highlight the other's perspective, point up the other's
distress, and make it clear <**that** the child's action caused it>].

직독직해 오히려 / 최고의 방법은 / 아이의 성숙한 공감의 잠재력을 이끌어내는 / 유도를 통해서이다 / 〈그런데 그 유도에서〉 부모들은 다른 사람의 관점을 강조하고 / 다른 사람의 고통을 두드러지게 하며 / 그리고 분명하게 만든다 / 〈뭐가?〉 그 아이의 행동이 그것을 유발했다는 것을

해　석 오히려, 아이의 성숙한 공감의 잠재력을 끌어내는 최상의 방법은 유도를 통하는 것인데, 그 과정에서 부모는 상대방의 관점을 강조하고, 상대방이 느낀 고통을 두드러지게 하며, 그 아이의 행동이 그 고통을 야기했다는 점을 분명히 한다.

189.

The automobile has made it possible for father to work (a considerable commuting
<u>S1</u> <u>V1</u> <u>가O1</u> <u>OC1</u> <u>의미상 주어</u> <u>진O1</u>

time away (from home)), so he (often) rises ***before*** the children do and sees them (only
<u>S2</u> <u>V2</u> <u>S</u> <u>V</u> <u>V3</u> <u>O3</u>

for a brief period) (on his return from work) and (during the weekends).

직독직해 자동차는 / 가능하도록 만들어 왔다 / 〈뭐가?〉 아버지가 상당한 통근 시간이 걸리는 곳에 일할 수 있는 것을 / 집으로부터 / 그래서 / 그는 종종 일어난
다 / 아이들이 일어나기 전에 / 그리고 그들을 본다 / 직장에서 돌아온 후 짧은 시간과 주말에만

해 석 자동차 덕분에 아버지는 집에서 통근 시간이 상당히 걸리는 곳에서 일할 수 있게 되어서 그는 종종 아이들이 일어나기 전에 일어나고, 직장에서 돌아
온 짧은 시간과 주말에만 아이들을 본다.

PART 04

보어편

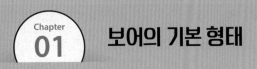

보어의 기본 형태

Pattern 21 보어에 「명사(구) / 형용사 / 준동사」가 나온 경우

1 보어에 「명사 / 형용사 / 명사 + 수식어」가 나온 경우

190.

One man's terrorist is another man's freedom fighter.
$\underset{S}{}$ $\underset{V}{}$ $\underset{SC}{}$

직독직해 누군가의 테러리스트는 / 또 다른 누군가의 자유의 투사이다

해   석 누군가의 테러리스트는 또 다른 누군가의 자유의 투사이다.

191.

He seemed very grateful (to Crusoe) (for having saved his life), and **as** he appeared
$\underset{S_1}{}$ $\underset{V_1}{}$ $\underset{SC_1}{}$ $\underset{S}{}$ $\underset{V}{}$
willing to accompany him, Crusoe took him (home) (as a servant).
$\underset{SC}{}$ $\underset{S_2}{}$ $\underset{V_2}{}$ $\underset{O_2}{}$

직독직해 그는 / 크루소에게 매우 감사해하는 것처럼 보였다 / 자기 생명을 구해준 것에 대해 / 그리고 그는 그를 기꺼이 따라갈 것처럼 보였기 때문에 / 크루소는 / 그를 하인으로 집에 데리고 갔다

해   석 그는 자기 생명을 구해준 것에 대해 크루소에게 매우 감사해하는 것처럼 보였고, 그가 그(크루소)를 기꺼이 따라갈 것처럼 보였기 때문에 크루소는 그를 하인으로 집에 데리고 갔다.

192.

Since basalt is formed (under extremely high temperatures), the presence of this type
$\underset{S_1}{}$ $\underset{V_1}{}$ $\underset{S}{}$
of rock is an indication <**that** the temperature of the Moon was (once) (extremely)
$\underset{V}{}$ $\underset{SC}{}$ $\underset{(동격)}{}$ $\underset{S_2}{}$ $\underset{V_2}{}$
hot>.
$\underset{SC_2}{}$

직독직해 현무암은 형성되기 때문에 / 극도로 높은 온도에서 / 이러한 유형의 암석의 존재는 / 지표이다 / 달의 온도가 한때 극도로 뜨거웠다는

해   석 현무암은 극도로 높은 온도에서 형성되기 때문에 이러한 유형의 암석의 존재는 달의 온도가 한 때 극도로 뜨거웠다는 지표이다.

193.

It is my opinion <**that** Susan and Linda should have been more careful (about their
가S V SC 진S S V SC
manners) (in front of their teacher) (yesterday)>.

직독직해 나의 생각이다 / Susan과 Linda가 좀 더 주의했어야 한다는 것은 / 그들의 예의에 대해서 / 그들의 선생님 앞에서 / 어제

해석 Susan과 Linda가 어제 그들의 선생님 앞에서 좀 더 예의에 주의했어야 했다고 나는 생각한다.

194.

'Please' and 'Thank you' are the small change [with which we pay our way (as social
S V SC 전O관·대 S V O
beings)]. They are the little courtesies [by which we keep the machine of life oiled
S V SC 전O관·대 S V O OC
and running (sweetly)].

직독직해 '부탁해요' 와 '고마워요'는 / 작은 요금이다 / 우리가 우리 몫을 지불하는 / 사회적 존재들로서 // 그것들은 작은 예의이다 / 우리가 삶이라는 기계를 /
기름칠을 하고 / 부드럽게 돌아가도록 해주는

해석 '부탁해요'와 '고마워요'는 우리가 사회적 존재로서 우리 몫을 지불하는 작은 요금이다. 그것들은 삶이라는 기계에 기름칠을 하여 부드럽게 돌아가도
록 해주는 작은 예의이다.

2 보어에 「to RV / RVing」가 나온 경우

195.

A common mistake (in talking to celebrities) is to assume <**that** they don't know
S V SC S V
(much) (about anything else) (except their occupations)>.

직독직해 흔히 저지르는 실수는 / 유명 인사들에게 말을 걸 때 / 가정하는 것이다 / 그들이 많이 알지 못한다고 / 자신들의 직업을 제외한 다른 어떤 것에 대해서는

해석 유명 인사들에게 말을 걸 때 흔히 저지르는 실수는 그들이 자신들의 직업을 제외한 다른 어떤 것에 대해서는 많이 알지 못한다고 가정하는 것이다.

196.

Imagine <**that** it's Saturday and you are to meet your friends (at the mall) (at 12:00)>.
V O S₁ V₁SC₁ S₂ V₂ SC₂

직독직해 상상해 보라 / 토요일이고 / 당신은 / 친구들을 만날 예정이라는 것을 / 쇼핑몰에서 12시에

해석 토요일이고 당신은 쇼핑몰에서 12시에 친구들을 만날 예정이라는 것을 상상해 보라.

197.

The way [to give them positive mind] is <encouraging each other to participate (in
activities)>.

> S / V / IO / DO / V / SC / V / O / OC

직독직해 방법은 / 그들에게 긍정적인 사고를 심어 줄 / 서로서로를 장려하는 것이다 / 활동에 참여하도록

해　석 그들에게 긍정적인 사고를 심어 줄 방법은 서로서로를 활동에 참여하도록 장려하는 것이다.

198.

They are bringing about an increasing exhaustion of the resources no less of man than
(an increasing exhaustion of the resources) of the earth.

> S / V / O

직독직해 그들은 초래하는 중이다 / 증가하는 인적 자원의 고갈을 / 지구의 자원만큼

해　석 그들은 인적 자원의 증가하는 고갈을 지구 자원의 고갈만큼 초래하는 중이다.

199.

Six-party talks (on North Korea's nuclear program) are to resume (in Beijing).

> S / V

직독직해 6자회담이 / 북한의 핵 프로그램에 대한 / 재개될 예정이다 / 베이징에서

해　석 북한의 핵 프로그램에 대한 6자회담이 베이징에서 재개될 예정이다.

200.

Birds and bats appear to be similar, but they are different (as night and day).

> S₁ / V₁ / SC₁ / S₂ / V₂ / SC₂

직독직해 새와 박쥐는 / 비슷한 것 같다 / 그러나 / 그들은 / 다르다 / 밤과 낮처럼

해　석 새와 박쥐는 비슷한 것 같지만, 그들은 낮과 밤처럼 전혀 다르다.

201.

The ultimate purpose of product advertising is to let people know the product and
_S _V _{SC} _{V1} _{O1} _{OC1}

make them buy it.
_{V2} _{O2} _{OC2}

직독직해 상품 광고의 궁극적인 목적은 / 사람들이 상품을 알게 하고 / 그것을 사도록 하는 것이다

해 석 상품 광고의 궁극적인 목적은 사람들이 그 상품을 알게 하고 사도록 만드는 것이다.

202.

One of my most memorable experiences *when* I was (in Venice) was wearing a
_S _S _V _V _{SC1}

harlequin mask and participating in the carnival.
_{SC2}

직독직해 나의 가장 기억에 남는 경험들 중 하나는 / 내가 베니스에 있었을 때 / 어릿광대 가면을 쓴 것이었고 / 축제에 참가한 것이었다

해 석 내가 베니스에 있었을 때 가장 기억에 남는 경험들 중의 하나는 어릿광대 가면을 쓰고 축제에 참여한 것이었다.

203.

They have proven to be (highly) adaptable creatures, and their population has not
_{S1} _{V1} _{SC1} _{S2} _{V2}

diminished (despite the loss of wooded areas).

직독직해 그것들은 / 판명되었다 / 매우 적응력이 뛰어난 생명체라고 / 그리고 / 그들의 개체 수는 / 감소하지 않았다 / 삼림 지역의 손실에도 불구하고

해 석 그것들은 매우 적응력이 뛰어난 생물체인 것으로 판명되었고, 삼림 지역의 손실에도 불구하고 그들의 개체 수는 줄어들지 않았다.

204.

The time has come for all men to become conscious of the part [(which) they can and
_S _V _{의미상 주어} _{SC} _{V1} _{O1} _(O관·대 생략) _{S2} _{V2}

must play (in life) *if* our present civilization is to endure].
_{S3} _{V3}

직독직해 시기가 되었다 / 모든 사람들이 / 역할에 대해 의식해야 할 / 그들이 할 수 있고 그리고 해야만 하는 / 그들의 인생에서 / 만약 우리의 현재 문명이 존속하려면

해 석 오늘날의 우리 문명이 존속하려면 모든 사람이 인생에서 할 수 있고, 또 해야만 하는 역할을 의식해야 할 때가 되었다.

205.

If you were to store ten bits of information (each second of your life), (by your 100th
S V O
birthday), your memory-storage area would be (only) (half) full.
S V SC

직독직해 만약 당신이 10비트의 정보를 저장한다면 / 당신의 삶에서 매초 / 100살 때쯤까지 / 당신의 기억 저장소는 / 단지 절반만 채워질 것이다

해 석 만약 당신이 당신의 삶에서 매초 10비트의 정보를 저장한다 해도, 당신의 기억 저장소는 100살 때쯤에도 단지 절반만 채워질 것이다.

206.

A common reaction (to the proposition) <**that** computers will (seriously) compete
S (동격) S V
with human intelligence> is to dismiss this specter based (primarily) on an
O V SC
examination of contemporary capability.

직독직해 일반적인 대응은 / 주장에 대한 / 컴퓨터가 진실로 인간의 지능과 경쟁할 것이라는 / 이러한 불안 요소를 묵살하는 것이다 / 주로 현대 성능의 시험에 기반을 둬서

해 석 컴퓨터가 인간 지능과 진실로 경쟁하게 될 것이라는 주장에 대한 일반적인 대응은 현대 성능의 시험에 주로 기반을 둬서 이 불안 요소를 묵살하는 것이다.

207.

I believe <**that** the cure (for these things) is (partly) to be sought (in the deliberate
S V O S₁ V₁
control of the currency and of credit) (by a central institution), and (partly) (in the
collection and dissemination of data) [relating to the business situation] (including
the full publicity, (by law) ***if*** necessary, of all business facts) [which it is useful to
O관·대 가S₂ V₂ SC₂ 진S₂
know]>.

직독직해 나는 믿는다 / 치료책은 / 이러한 것들에 대한 / 부분적으로 / 발견될 수 있다 / 통화와 신용 거래의 의도적인 통제 안에서 / 중앙 기관에 의한 / 그리고 / 부분적으로 / 자료의 수집과 배포하는 것에서 / 사업 상황과 관련된 / 완전한 공개를 포함한 / 법에 의해 / 만약 필요하다면 / 모든 사업적 사실의 / 알면 유익한

해 석 나는 중앙 기관에 의한 통화와 신용 거래의 의도적인 통제 속에서, 그리고 만약 필요하다면, 알면 유익한 모든 사업 사실들의 법에 의한 완전한 공개를 포함하여, 사업 상황과 관련된 정보를 수집하고 배포하는 데에서 이러한 것들에 대한 치료책들이 부분적으로 발견될 수 있다고 믿는다.

주격 보어와 목적격 보어

1 주격 보어에 명사절이 나온 경우

208.

<**What** I want to know> is <**whether** they will agree or not>.
S S₁V₁ V SC S₂ V₂

직독직해 내가 알고 싶은 것은 / 그들이 동의할지 안 할지이다

해 석 내가 알고 싶은 것은 그들이 동의할지 안 할지이다.

209.

One of the most painful circumstances of recent advances (in science) is <**that** each
S V SC S₁
of them makes us know less than (we thought) we did (know)>.
V₁ O₁ OC₁ S₂ V₂

직독직해 최근 발전에서 가장 괴로운 사실은 / 과학에서 / 그 발달의 각각이 / 우리를 만든다는 것이다 / 우리가 덜 알도록 / 우리가 안다고 생각했던 것보다

해 석 최근 과학의 발전에서 가장 괴로운 사실은 그 발달의 각각이 우리가 안다고 생각했던 것보다 우리가 덜 알도록 만든다는 것이다.

210.

One of the most beguiling aspects of cyberspace is <**that** it offers the ability [to
S V SC S V O
connect with others (in foreign countries)] *while* (also) providing anonymity>.

직독직해 사이버 공간의 가장 매력있는 특징들 중의 하나는 / 이것이 능력을 제공한다는 것이다 / 다른 사람들과 접촉할 수 있는 / 다른 나라에 있는 / 익명성을 보장하면서

해 석 사이버 공간의 가장 매력있는 특징 중 하나는 이것이 익명성을 보장하면서 외국의 다른 사람들과 접촉할 수 있는 능력을 제공한다는 것이다.

211.

(Despite the fact <**that** many Koreans spend time and money (to improve their
(동격) S₁ V₁ O₁ to부정사(목적)
English proficiency)>), the sad news is <**that** the majority of them cannot succeed in
S V SC S₂ V₂
speaking excellent English *unless* they have grown up and spent a substantial period
O₂ S₃ V₃ V₄ O₄
of time (in English-speaking countries) *when* they were young>.
S₅ V₅ SC₅

직독직해 사실에도 불구하고 / 많은 한국인들이 시간과 돈을 쓴다는 / 그들의 영어 숙련도를 향상시키기 위해 / 슬픈 소식은 / 그들의 대다수는 성공하지 못한다는 것이다 / 훌륭한 영어를 구사하는 것에 / 그들이 자라고 상당한 기간을 보내지 않는 한 / 영어권 국가에서 / 그들이 어렸을 때

해 석 많은 한국인들이 그들의 영어 숙련도를 향상시키기 위해 시간과 돈을 들인다는 사실에도 불구하고 슬픈 소식은 그들의 대다수가 그들이 어릴 적에 영어권 국가에서 상당한 기간을 보내며 자라지 않는 한 훌륭한 영어를 구사하는 것에 성공하지 못한다는 것이다.

2   목적격 보어에 「to RV / RVing / p.p. / RV」가 나온 경우

212.

I saw a girl dancing (in the middle of the square).
S V   O   OC

직독직해 나는 / 봤다 / 한 소녀를 / 춤추고 있는 것을 / 광장 중간에서

해 석 나는 한 소녀가 광장 중간에서 춤추고 있는 것을 봤다.

cf.

I saw a girl dance (in the middle of the square).
S V   O   OC

직독직해 나는 / 봤다 / 한 소녀를 / 춤추는 것을 / 광장 중간에서

해 석 나는 한 소녀가 광장 중간에서 춤추고 있는 것을 봤다.

213.

He was seen to enter the house (by me).
S   V   SC

직독직해 그는 / 목격되었다 / 그 집에 들어가는 것이 / 나에 의해

해 석 그는 그 집에 들어가는 것이 나에 의해 목격되었다.

214.

I found the experience brilliant and it has made me want to succeed and (want to)
S₁ V₁   O₁   OC₁   S₂ V₂   O₂ OC₂
apply for audition after audition.

직독직해 나는 / 그 경험을 생각했다 / 멋지다고 / 그리고 그것은 만들었다 / 나를 / 성공하고 싶도록 / 그리고 계속해서 오디션에 지원하고 싶도록

해 석 나는 그 경험이 멋지다고 생각했고, 그것은 내가 성공하고 싶고 계속해서 오디션에 지원하고 싶도록 만들었다.

215.

When a little girl was holding a fishing rod (on the riverbank), she (suddenly) felt
     S   V   O   S   V₁
something and saw the fishing rod bending (into a question mark).
O₁   V₂   O₂   OC₂

직독직해 작은 소녀가 / 낚싯대를 잡고 있을 때 / 강둑에서 / 그녀는 / 갑자기 / 무언가를 느꼈다 / 그리고 / 보았다 / 낚싯대가 / 구부러지는 것을 / 물음표 모양으로

해　석 강둑에서 한 작은 소녀가 낚싯대를 잡고 있을 때, 그녀는 갑자기 무언가를 느꼈고, 낚싯대가 물음표 모양으로 구부러지는 것을 보았다.

216.

The women were busy shopping (for Christmas presents) but had their shopping
   S   V₁   V₂   O₂
bags stolen *because* they left them in an unlocked car (in the parking lot) (during
   OC₂   S   V   O   OC
lunchtime).

직독직해 그 여자들은 / 쇼핑하느라 바빴다 / 크리스마스 선물을 위해 / 그러나 / 만들었다 / 그들의 쇼핑백이 / 도둑맞도록 / 왜냐하면 / 그들은 / 놔두었기 때문이다 / 그것들을 / 잠기지 않은 차 안에 / 주차장에 있는 / 점심 시간 동안

해　석 그 여자들은 크리스마스 선물을 사기 위해 바쁘게 쇼핑했지만 쇼핑 가방을 도둑맞았다. 왜냐하면 점심 식사를 하는 동안 주차장에 차 문을 잠그지 않은 채 물건을 놔두었기 때문이다.

Pattern 23 「완전자동사 + 보어」 가 나온 경우

217.

I went away a girl, and have come back a woman.
S V₁   유사보어₁   V₂   유사보어₂

[직독직해] 나는 / 떠났다 / 소녀로서 / 그리고 돌아왔다 / 한 여인으로서

[해 석] 나는 소녀로서 떠났고 한 여인으로서 돌아왔다.

218.

He returned (home) a completely changed person (after spending six months in a
S V   유사보어
mental hospital).

[직독직해] 그는 / 집으로 돌아왔다 / 완전히 다른 사람으로서 / 6개월을 보낸 후에 / 정신병원에서

[해 석] 그는 정신병원에서 6개월을 보낸 후에 완전히 다른 사람으로 집으로 돌아왔다.

219.

Cold and pale lay the Emperor (in his bed). But he was not yet dead, *although* he lay
유사보어   V   S   S   V   S   V
white and still (on his bed).
유사보어

[직독직해] 싸늘하고 창백한 채로 / 황제는 / 누워 있었다 / 그의 침대에 // 그러나 그는 / 아직 죽은 것은 아니었다 / 비록 그는 누워 있었지만 / 창백하고 움직이지
않는 채로 / 침대 위에서

[해 석] 황제는 침대에 싸늘하고 창백한 채로 누워 있었다. 그러나 비록 그는 침대에 창백하고 움직이지 않는 채로 누워 있었지만 그가 아직 죽은 것은 아니었다.

220.

This genetic change may cause the child to be born defective (in some way).
S   V   O   OC   유사보어

직독직해 이 유전적 변이는 / 아마 야기할 것이다 / 아이가 태어나도록 / 장애를 가진 채 / 어떤 식으로든

해 석 이 유전 변이는 그 아이를 어떤 식으로든 장애를 가지고 태어나게 할지도 모른다.

221.

Some people are born weak, but (by taking good care of their health), they may
S1   V1   유사보어   S2   V2
become well and strong.
SC2

직독직해 어떤 사람들은 / 태어난다 / 약한 채로 / 하지만 / 그들의 건강에 매우 주의함으로써 / 그들은 건강하고 튼튼하게 될지도 모른다

해 석 어떤 사람들은 태어날 때는 약하지만 자신의 건강에 매우 주의함으로써 그들은 건강하고 튼튼하게 될지도 모른다.

222.

A puppy [raised (apart from other dogs)] will know how to bark *when* he gets old
S1   V1   O1   S1   V1   SC1
(enough), but the few children [(whom) we know of] [who grew up (without human
                    S2   (O관·대 생략) S2   V2   S관·대 V3
contact)] grew up (almost) (wholly) mute.
        V2   유사보어

직독직해 강아지들은 / 길러진 / 다른 개들과 떨어져서 / 아마 알 것이다 / 짖는 법을 / 그가 충분히 컸을 때 / 그러나 / 소수의 아이들은 / 우리가 알고 있는 / 인간과 접촉 없이 자란 / 자라났다 / 거의 완전히 벙어리인 채로

해 석 다른 개들과 떨어져서 길러진 강아지는 충분히 컸을 때 짖는 법을 배우지만, 우리가 알고 있는 어린이들 중에 인간과 접촉하지 않고 자란 소수의 아이들은 성장해서도 거의 말을 하지 못했다.

Pattern 24

「with + O + OC」가 나온 경우

223.

Don't speak (with your mouth full).
V · 전O · 전OC

직독직해 말하지 마라 / 입을 가득 채운 채로

해 석 입을 가득 채운 채로 말하지 마라.

224.

He could leave the church (with all the sin washed (out of him)).
S · V · O · 전O · 전OC

직독직해 그는 / 떠날 수 있었다 / 교회를 / 모든 죄가 씻긴 채로 / 그로부터

해 석 그는 그로부터 모든 죄가 씻긴 채로 교회를 떠날 수 있었다.

225.

When the students watched the film (with an authority figure present), their faces
S · V · O · 전O · 전OC · S

showed only the slightest hints of reaction.
V · O

직독직해 학생들이 / 영화를 봤을 때 / 권위 있는 인물이 참석한 채로 / 그들의 얼굴은 / 보여주었다 / 단지 최소한의 반응의 기색을

해 석 학생들이 권위 있는 인물이 참석한 채로 영화를 봤을 때, 그들의 얼굴은 단지 최소한의 반응의 기색을 보여주었다.

226.

The boy and the girl walked (in the forest) (with their heads bent), (with birds singing
S · V · 전O₁ · 전OC₁ · 전O₂ · 전OC₂

(merrily) (above their heads)).

직독직해 그 소년과 소녀는 / 숲 속을 걸었다 / 머리를 숙인 채로 / 새들이 즐겁게 노래 부르면서 / 그들의 머리 위에서

해 석 그 소년과 소녀는 머리를 숙인 채로, 새들이 그들의 머리 위에서 즐겁게 노래 부르면서 숲 속을 걸었다.

227.

Travel is a wonderful educator *if* it is intelligent travel [done (with eyes open and
_S   _V   _{SC}   _{S₁} _{V₁} _{SC₁}   _{전O₂}   _{전OC₂}

mind at work)].
_{전O₃}   _{전OC₃}

직독직해 여행은 놀라운 교육자이다 / 만약 그것이 지적인 여행이라면 / 행해지는 / 눈을 뜬 채 그리고 마음을 쓰면서

해 석 여행은 그것이 눈을 뜨고 마음을 쓰면서 하는 지적인 여행이라면 놀라운 교육자이다.

228.

(With processor and Internet-connection speeds doubling (every couple of years)), the
    _{전O}   _{전OC}   _S

boundaries (for games) are (quickly) disappearing.
                _V

직독직해 처리 장치와 인터넷 연결의 속도가 배가되면서 / 2년마다 / 게임의 경계가 / 급속하게 사라지고 있다

해 석 처리 장치와 인터넷 연결의 속도가 2년마다 배가되면서 게임의 경계가 급속히 사라지고 있다.

229.

His routine was to sit (in the living room) (with his legs crossed and arms extended)
_S   _V   _{SC}   _{전O₁}   _{전OC₁}   _{전O₂}   _{전OC₂}

while reading a newspaper (for a couple of hours) (in the morning).

직독직해 그의 일상은 / 거실에 앉아 있는 것이었다 / 다리를 꼰 채 그리고 팔을 뻗은 채 / 신문을 읽으면서 / 아침에 2시간 동안

해 석 그의 일상은 아침에 2시간 동안 신문을 읽으면서 다리를 꼬고 팔을 뻗은 채, 거실에 앉아 있는 것이었다.

230.

One simple, effective method is a pill box [that looks like a matrix, (with days of the
_S   _V _{SC}   _{S관·대} _{V₁}   _{SC₁}   _{전O₂}

week listed (along the top) and times of the day (listed) (along the side))].
     _{전OC₂}   _{전O₃}   _(전OC₃ 생략)

직독직해 한 가지 간단하면서도 효과적인 방법은 / 약 상자이다 / 행렬처럼 생긴 / 그 주의 요일이 위에 적힌 채로 / 그리고 그날의 시간이 옆에 적힌 채로

해 석 한 가지 간단하면서도 효과적인 방법은 윗부분에는 그 주의 요일이, 옆면에는 그날의 시간이 적힌 행렬처럼 생긴 약 상자이다.

PART 05

준동사편

최소시간 X 최대효과 = 초고효율 심우철 합격영어

Chapter
01 준동사의 기본 용법

Part 05 준동사편

Pattern 25 **준동사의 해석**

1 To RV의 기본 용법 (부정사)

231.

To read a newspaper (in the room) is boring.
S   V   O   V   SC

직독직해 방에서 신문을 읽는 것은 / 지루하다 (명사적 용법 : 주어)

해　석 방에서 신문을 읽는 것은 지루하다.

232.

I want to read a newspaper (in the room).
S V   V   O

직독직해 나는 / 원한다 / 방에서 신문 읽기를 (명사적 용법 : 목적어)

해　석 나는 방에서 신문 읽기를 원한다.

233.

The first thing [(that) I do (in the morning)] is to read a newspaper (in the room).
S   (O관·대 생략)   V   SC

직독직해 아침에 내가 제일 먼저 하는 것은 / 방에서 신문을 읽는 것이다 (명사적 용법 : 보어)

해　석 아침에 내가 제일 먼저 하는 것은 방에서 신문을 읽는 것이다.

234.

He is to read a newspaper (in the room) after he finishes the work.
S V SC   S   V   O

직독직해 그는 / 신문을 읽을 예정이다 / 방에서 / 그가 / 그 일을 끝낸 후 (형용사적 용법 : be to 용법)

해　석 그는 그 일을 끝낸 후에 방에서 신문을 읽을 예정이다.

235.

The way [to learn a language] is to practice speaking it (as often as possible).
S   V   SC

직독직해 언어를 배우는 방법은 / 그것을 말하는 연습을 하는 것이다 / 가능한 한 자주

해석 언어를 배우는 방법은 가능한 한 자주 말하기를 연습하는 것이다.

236.

To keep children from going out (on rainy days) is (usually) difficult (for their
S   V   O   OC   V   SC
parents).

직독직해 아이들을 금지하는 것은 / 밖으로 나가는 것으로부터 / 비 오는 날에 / 보통 어려운 일이다 / 부모들에게

해석 비가 오는 날에 아이들을 밖에 나가지 못하게 하는 것은 대개 부모들에게는 어려운 일이다.

237.

You had better follow the dentist's advice [to have your wisdom teeth taken out].
S   V   O   V   O   OC

직독직해 당신은 / 따르는 편이 낫다 / 치과 의사의 충고를 / 당신의 사랑니가 뽑히게 하라는

해석 당신은 사랑니를 뽑으라는 치과 의사의 충고를 따르는 편이 낫다.

238.

(According to Erikson), basic trust involves having the courage [to let go of the
                         S   V   O   V1   O1
familiar and take a step (toward the unknown)].
          V2   O2

직독직해 Erikson에 따르면 / 기본적인 신뢰는 / 포함한다 / 용기를 갖는 것을 / 친숙한 것을 놓아 주고 / 미지의 것에 한 걸음 다가가는

해석 Erikson에 의하면, 기본적인 신뢰는 친밀한 것을 내려 놓고 미지의 것에 한 걸음 다가가는 용기를 내는 것을 수반한다.

239.

(To prevent software from being copied (illegally) and protect the copyright), (above
to부정사(목적)   V1   O1   OC1   V2   O2
all), software companies should lower the price of their goods (to a reasonable price).
     S   V   O

직독직해 소프트웨어가 불법적으로 복제되는 것을 막고 저작권을 보호하기 위해서 / 무엇보다도 / 소프트웨어 회사들은 / 낮춰야 한다 / 그들의 상품 가격을 / 합리적인 가격으로

해석 소프트웨어가 불법으로 복제되는 것을 막고 저작권을 보호하기 위해서는 무엇보다도 소프트웨어 회사들이 그들의 상품 가격을 합리적인 가격으로 낮춰야 한다.

2 RVing / p.p.의 기본 용법 (동명사 / 분사 구분하기)

240.

Teaching children washing skills (at home) requires them sensitive care and a little
_S _{IO} _{DO} _V _{IO} _{DO}
endurance.

직독직해 집에서 어린이들에게 씻는 방법을 가르친다 / 〈그것은〉 요구한다 / 그들에게 / 세심한 주의와 약간의 인내심을

해 석 집에서 어린이들에게 씻는 방법을 가르치는 것은 그들에게 세심한 주의와 약간의 인내심을 요구한다.

241.

Teaching children washing skills (at home), parents can provide the importance of
_{IO} _{DO} _S _V _O
sanitation.

직독직해 집에서 어린이들에게 씻는 방법을 가르친다 / 〈그런〉 부모들은 / 제공할 수 있다 / 위생의 중요성을

해 석 집에서 어린이들에게 씻는 방법을 가르치면서 부모들은 위생의 중요성을 제공할 수 있다.

242.

The person [teaching children washing skills (at home)] doesn't (necessarily) have to
_S _V _{IO} _{DO} _V
be the mother.
_{SC}

직독직해 사람은 / 집에서 어린이들에게 씻는 방법을 가르치는 / 꼭 엄마일 필요는 없다

해 석 집에서 어린이들에게 씻는 방법을 가르치는 사람은 꼭 엄마일 필요는 없다.

243.

(Pretty soon), you will have collected a lot of revealing facts (about yourself).
           S   V   O

직독직해 곧, 당신은 / 수집해 두었을 것이다 / 자신을 드러내는 많은 사실들을

해　석 곧, 당신은 자신을 드러내는 많은 사실들을 수집해 두었을 것이다.

244.

Putting a man to death (by hanging or electric shock) is an (extremely) cruel form of
S   V SC
punishment.

직독직해 사람을 죽이는 것은 / 교수형이나 전기 충격으로 / 형벌의 매우 잔인한 형태이다

해　석 사람을 교수형이나 전기 충격으로 죽이는 것은 매우 잔인한 형태의 형벌이다.

245.

The awesome power [unleashed (by nuclear energy)] was (first) demonstrated (in the
S   V
atomic bombs) [dropped (on Hiroshima and Nagasaki)].

직독직해 가공할 만한 힘은 / 핵에너지에 의해 방출된 / 처음 드러났다 / 원자폭탄에서 / 히로시마와 나가사키에 투하된

해　석 핵에너지에 의해 방출된 가공할 만한 힘은 히로시마와 나가사키에 투하된 원자폭탄에서 처음 드러났다.

246.

Alexander Bell (1847~1922) (also) constructed a 'talking head', [made out of various
S   V   O
synthetic materials], [that was able to produce a few distinct sounds].
                   S관·대 V   O

직독직해 Alexander Bell은 / 또한 만들었다 / '말하는 머리'를 / 다양한 합성물로 이루어진 / 그것은 / 만들어 낼 수 있었다 / 몇 가지 뚜렷한 소리들을

해　석 Alexander Bell은 또한 몇 가지 뚜렷한 소리들을 만들어 낼 수 있는 다양한 합성물로 이루어진 '말하는 머리'를 만들었다.

3 「전치사 + RVing」가 나온 경우

247.

Being (in the army) is like being (in the Boy Scouts), (except <**that** the Boy Scouts
S   V SC   전O   S
have adult supervision>).
V   O

직독직해 군대에 있는 것은 / 보이 스카우트에 있는 것과 같다 / 보이 스카우트는 어른이 감독한다는 것을 제외하면

해 석 군대에 있는 것은 보이 스카우트는 어른이 감독한다는 것을 제외하면 보이 스카우트에 있는 것과 같다.

248.

On entering the forest, we saw a great number of monkeys, [who fled (at our approach),
분사구문   S V   O   S관·대 V1
and ran up the trees (with surprising quickness)].
V2   O2

직독직해 숲에 들어가자마자 / 우리는 / 보았다 / 매우 많은 원숭이들을 / <그런데 그 원숭이들은> 도망갔다 / 우리가 접근하자 / 그리고 나무 위로 달아났다 / 놀라울 정도로 빠르게

해 석 숲에 들어가자마자 우리는 매우 많은 원숭이들을 보았는데, 그 원숭이들은 우리가 접근하자 도망가서 놀라울 정도로 빠르게 나무 위로 달아났다.

249.

(In terms of using mental energy (creatively)), (perhaps) the most basic difference
S

(between people) consists in <**how much** attention they have to deal with novelty>.
                        V   O   O   S   V   to부정사(목적)

직독직해 창조적으로 정신력을 사용한다는 관점에서 / 아마도 사람들 사이의 가장 기본적인 차이점은 / ~에 있다 / 얼마나 많은 주의력을 / 그들이 / 가지느냐에 / 새로운 것을 감당하기 위해

해 석 창조적으로 정신력을 사용한다는 관점에서, 아마도 사람들 사이의 가장 기본적인 차이점은 그들이 새로운 것을 감당하기 위해 얼마나 많은 주의력을 가지느냐에 있다.

250.

The politician's success (in converting the people (to his way of thinking)) was
S   V   O   V

(largely) a result of his persuasive criticisms of the existing order.
        SC

직독직해 그 정치인의 성공은 / 사람들을 자신의 사고방식으로 바꾸는 데 있어서 / 주로 기존 질서에 대한 설득력 있는 비판의 결과였다

해　석 그 정치인이 사람들을 자신의 사고방식대로 바꾸는 데 성공한 것은 주로 기존 질서를 설득력 있게 비판한 결과였다.

251.

A basic understanding of the different types of cloning is the key (to taking an
S   V   SC   V₁   O₁

informed stance (on current public policy issues) and (to) making the best possible
                                                     (생략) V₂   O₂

personal decisions).

직독직해 복제의 서로 다른 유형에 대한 기초적 이해는 / 열쇠이다 / 정보에 입각한 입장을 취하는 것과 / 현재 공공 정책 이슈들에 대한 / 최상의 가능한 개인적 결정을 내리는 것에 있어서

해　석 복제의 서로 다른 유형에 대한 기초적인 이해는 현 공공 정책 이슈들에 대해 정보에 입각한 입장을 취하고 최상의 가능한 개인적 결정을 내릴 수 있게 만드는 열쇠이다.

252.

When spiders are in danger, they can escape (by flying) (through the air) (at the end
         S   V   SC   S   V

of an instantly made silk dragline).

직독직해 거미들이 / 위험에 처하면 / 그들은 / 도망칠 수 있다 / 공중으로 날아감으로써 / 즉시 만들어진 거미줄 끝에서

해　석 거미들이 위험에 처하면 그들은 즉시 만들어진 거미줄 끝에서 공중으로 날아감으로써 탈출할 수 있다.

Pattern 26 분사구문이 나온 경우

253.

Working (in a print shop), my coworker and I (sometimes) forget <**how complex** the
<u>S</u>   V   O   SC   S

equipment seems (to clients)>.
        V

직독직해 인쇄소에서 일한다 / 〈그런〉 나와 내 동료는 / 때때로 잊어버린다 / 얼마나 복잡하게 보이는지를 / 인쇄 기계가 고객들에게

해 석 인쇄소에서 일하는 나와 내 동료는 때때로 인쇄 기계가 고객들에게 얼마나 복잡하게 보이는지를 잊어버린다.

cf.

Communicating (with each other) (by e-mail) is becoming more common (all over the
<u>S</u>   V   SC

world).

직독직해 이메일로 서로 의사소통하는 것은 / 더욱 보편화되고 있다 / 전 세계적으로

해 석 이메일로 서로 의사소통하는 것은 전 세계적으로 더욱 보편화되고 있다.

254.

Fueled (by a lifelong love of literature), Gonzales has devoted himself to <providing
                                               S   V   O   V

people with more access to literature>.
<u>IO</u> <u>DO</u>

직독직해 자극을 받았다 / 문학에 대한 평생의 사랑에 의해 / 〈그런〉 Gonzales는 / 스스로 몰두했다 / 사람들에게 제공하는 것에 / 문학에 대한 더 많은 접근을

해 석 문학에 대한 평생의 사랑에 의해 자극을 받았던 Gonzales는 문학에 대한 더 많은 접근을 사람들에게 제공하는 것에 스스로 몰두했다.

255.

Wind and rain (continually) hit against the surface of the Earth, breaking large rocks (into smaller and smaller particles).
S ———— V ———— O

직독직해 바람과 비는 / 계속해서 때렸다 / 지표면을 / 〈그러면서〉 큰 바위를 부수었다 / 더 작은 입자들로

해석 바람과 비는 지표면을 계속해서 때리면서 큰 바위를 더 작은 입자들로 부수었다.

256.

Unable to finish college (because of a lack of money), he took a job (as a playground instructor [earning thirty dollars (a week)]).
S — V — O

직독직해 대학을 마칠 수가 없어서 / 돈이 부족했기 때문에 / 〈그런〉 그는 직업을 얻었다 / 운동장 강사로 / 주당 30달러를 버는

해석 그는 돈이 없어서 대학을 마치지 못했기 때문에 주당 30달러의 돈을 버는 운동장 강사로 취직했다.

257.

It is best to let them make their own mistakes and learn from them, (always) certain
가S V SC 진S

<**that** you will be (there) (to help them recover and start over)>.
S₁ V₁ to부정사(목적) V₂ O₂ OC₂

직독직해 최선이다 / 〈뭐가?〉 그들이 스스로 실수를 하고 그것들로부터 배우도록 하는 것이 / 〈그러면서〉 항상 확신한다 / 당신이 있을 것이라고 / 그 곳에 / 그들이 회복하고 다시 시작하도록 돕기 위해

해석 그들이 회복하고 다시 시작하게 돕도록 당신이 그곳에 있을 것이란 점을 항상 확신하면서, 그들 스스로 실수를 하고 그것으로부터 배우도록 하는 것이 최선이다.

258.

Small areas of sand beach are (along the New England coast), some created (from
S ———— V ———— 의미상 주어₁

glacial debris), others built up (by the action of ocean storms).
의미상 주어₂

직독직해 모래 해변의 작은 지역들은 / 뉴잉글랜드 해안을 따라 존재한다 / 〈그러면서〉 어떤 것들은 빙하 잔해들로부터 만들어지고 / 다른 것들은 / 바다 폭풍들의 작용에 의해 형성된다

해석 모래 해변의 작은 지역들은 뉴잉글랜드 해안을 따라 존재하는데, 어떤 것들은 빙하 잔해들로부터, 다른 것들은 바다 폭풍들의 작용으로 인해 형성된다.

259.

Understanding the movements of heavenly bodies and the relationship (between
angles and distances), medieval travelers were able to create a system of longitude
and latitude.

(S) (V) (O)

직독직해 천체의 움직임과 각도와 거리 사이의 관계를 이해한다 / 〈그런〉 중세 여행자들은 / 경도와 위도의 체계를 만들 수 있었다

해 석 천체의 움직임과 각도와 거리 사이의 관계를 이해하게 되면서 중세의 여행자들은 경도와 위도 체계를 만들어 낼 수 있었다.

260.

Hours of intense negotiations [aimed at reopening the government] collapsed (last
night), leaving the White House and congressional Republicans no closer (to agreeing
on the terms) (for future budget negotiations) than they were (a week ago).

(S) (V) (O) (OC) 비교대상

직독직해 수 시간 동안의 집중 협상은 / 정부 재개를 겨냥한 / 결렬되었다 / 어젯밤에 / 〈그러면서〉 백악관과 의회 공화당원들은 더 가까워지지 않았다 / 조건에
대한 합의에 / 향후 예산 협상에 대한 / 그들이 일주일 전에 그랬던 것보다

해 석 정부 재개를 겨냥한 수 시간 동안의 집중 협상이 어젯밤 결렬됨에 따라 백악관과 의회 공화 당원들은 향후 예산 협상 조건 합의에 일주일 전보다 더 가
까워진 것이 없다.

261.

Medical illnesses (such as stroke, a heart attack, cancer, Parkinson's disease, and
hormonal disorders) can cause depressive illness, making the sick person apathetic and

(S) (V) (O) (V₁) (O₁) (OC₁)

unwilling to care for his or her physical needs, (thus) prolonging the recovery period.

(V₂) (O₂)

직독직해 의학적 질병들은 / 발작, 심장마비, 암, 파킨슨병, 그리고 호르몬 이상과 같은 / 야기할 수 있다 / 우울증을 / 〈그러면서〉 환자들을 무기력하게 만들고 /
그들의 신체적 필요를 돌보지 않게 하고 / 결국에는 회복 기간을 연장시킨다

해 석 발작, 심장마비, 암, 파킨슨병, 그리고 호르몬 이상과 같은 의학적 질병들이 우울증을 일으켜서 환자들을 무기력하게 하고, 자신들의 신체적 필요를 돌
보지 않게 하여 결국에는 회복 기간을 연장시킨다.

262.

Youth (especially) tend to take good health for granted and squander it (thoughtlessly),
S · V₁ · O₁ · OC₁ · V₂ · O₂

(little) realizing <**that** future success and happiness, and (even) life itself, are (largely)
V₁ · O₁ · S₂ · 동격(강조용법) V₂

influenced and (in many instances) (actually) determined (by the habits of living)
V₃

[acquired (during one's developmental years)]>.

직독직해 젊은이들은 / 특히 / 받아들이는 경향이 있다 / 좋은 건강을 / 당연한 것으로 / 그리고 / 그것을 낭비한다 / 생각없이 / 〈그러면서〉 알아채지 못한다 / 미래의 성공과 행복과 심지어 삶 그 자체가 / 많은 영향을 받고 / 많은 경우 실제로 결정된다 / 사람의 성장기 시절에 얻어진 생활 습관에 의해

해 석 젊은이들은 장래의 성공과 행복, 심지어는 삶 그 자체가 사람의 성장기 시절에 얻어진 생활 습관에 의해 많은 영향을 받고, 또 많은 경우 실제로 결정이 된다는 사실을 거의 인식하지 못한 채 건강을 당연한 것으로 받아들이고 낭비하는 경향이 있다.

Pattern 27	준동사의 의미상의 주어

263.

You can make it possible for all men (in America and throughout the world), to enjoy
  S   V   가O OC   의미상 주어   진O
these rights (to the fullest).

직독직해 당신은 / 만들 수 있다 / 가능하도록 / 〈무엇을?〉 미국과 온 세계의 모든 사람들이 / 충분히 이런 권리들을 즐기는 것을

해　석 당신은 미국과 온 세계의 모든 사람들이 충분히 이런 권리들을 즐기는 것을 가능하도록 만들 수 있다.

264.

Some parents take advantage of their children's longing for goods in order to show
  S   V   의미상 주어   O
their love. Busier parents are tempted to buy their children's love (by compensating
            S   V   SC
for the time [(that) they did not spend (with their children)]).
          (O관·대 생략) S   V

직독직해 어떤 부모들은 / 이용한다 / 아이들이 물건을 열망하는 것을 / 자신들의 사랑을 보여주기 위해서 // 더 바쁜 부모들은 / 유혹된다 / 자녀들의 사랑을 사도록 / 시간을 보상함으로써 / 자신들이 / 자녀와 함께 보내지 못한

해　석 어떤 부모들은 자신들의 사랑을 보여주기 위해서 아이들이 물건을 열망하는 것을 이용한다. 더 바쁜 부모들은 자신들이 자녀와 함께 보내지 못한 시간을 보상함으로써 자녀들의 사랑을 사도록 유혹된다.

265.

It being his free afternoon, Frank decided to take a drive (in the country).
비인칭주어   S   V   O

직독직해 한가한 오후였다 / 〈그런〉 Frank는 결심했다 / 시골로 드라이브하기를

해　석 한가한 오후였고, Frank는 시골로 드라이브하기를 결심했다.

266.

There being no one [to go with me], I had to go (alone).
　　　　　　　의미상 주어　　　　　　　　S　V

직독직해　나와 함께 갈 사람은 아무도 없다 / 나는 혼자 가야만 했다

해　석　함께 갈 사람이 없었으므로 나는 혼자 가야만 했다.

267.

She is proud of her son's being the brightest (in the class).
S　V　　　　　　　　의미상 주어　　　　　O

직독직해　그녀는 / 자랑스럽게 여긴다 / 그녀의 아들이 / 가장 영리하다는 것을 / 반에서

해　석　그녀는 그녀의 아들이 반에서 가장 영리하다는 것을 자랑스럽게 생각한다.

268.

It seems difficult for him to handle such a complicated matter.
가S V　　SC　　　의미상 주어　진S

직독직해　어려운 것 같다 / 그가 그런 복잡한 문제를 다루는 것이

해　석　그런 복잡한 문제를 처리하는 것은 그에게 어려운 것 같다.

269.

He introduced the technique of the double image [to create the impression (of
S　V　　　　　　　　O　　　　　　　　　　　　V　　　　O

one object being transformed into another)].
의미상 주어　　　전O

직독직해　그는 이중 이미지의 기술을 도입했다 / 인상을 창조하는 / 한 물체가 다른 물체로 변형되는

해　석　그는 한 물체가 다른 물체로 변형되는 듯한 인상을 창조해 내는 이중 이미지 기술을 도입했다.

270.

The male moths live longer than the females, the former averaging (about four weeks)
　S　　　　　　V　　　　　　비교대상　　　　　　의미상 주어1

and the latter (averaging) (half that time or a little more).
　　의미상 주어2　(생략)

직독직해　수컷 나방은 / 암컷 나방보다 더 오래 산다 / 전자는 약 평균 4주이고 / 후자는 그 시간의 절반 또는 좀 더 길게

해　석　수컷 나방은 암컷 나방보다도 오래 사는데, 전자는 평균 4주간에 달하고 후자는 그 절반 또는 좀 더 긴 정도이다.

271.

(Therefore), the value of the original results not only from its uniqueness but (results)
　　　　　　　S　　　　　　　　　V1　　　　　　　O1　　　　　　(V2 생략)

from its being the source [from which reproductions are made].
　　의미상 주어　O2　　　　전O관·대

직독직해　그러므로 / 원작의 가치는 / 생긴다 / 그것의 독특함에서뿐만 아니라 / 복제품들이 만들어지는 원천이 될 수 있다는 것에서도

해　석　그러므로 원작의 가치는 그것의 독특함에서 나올 뿐만 아니라 그것이 복제품들이 만들어지는 원천이 될 수 있다는 것에서 나오기도 한다.

272.

Painters want to see the world afresh, and to discard all the accepted notions and
　S　　V　　O1　　　　　　　　　　　　　　　　O2

prejudices (about flesh being pink and apples being yellow or red).
　　　　　　　의미상 주어1 전O1　　　　의미상 주어2 전O2

직독직해　화가들은 / 원한다 / 세상을 새롭게 보는 것을 / 그리고 / 모든 기존의 생각과 편견을 버리는 것을 / 살은 핑크색이고 사과는 노랗거나 붉다는 것에 대한

해　석　화가들은 세상을 새롭게 보고 싶어 하며, 살은 핑크색이고 사과는 노랗거나 붉다는 기존의 생각과 편견을 벗어버리려고 한다.

273.

I believe you to have loved her (before).
　S　V　　O　　OC

직독직해 나는 / 믿는다 / 당신이 그녀를 사랑했었다고 / 예전에

해　석 나는 당신이 예전에 그녀를 사랑했었다고 믿는다.

274.

Having received no answer (from him), I wrote (again).
　　　　　　　　　　　　　　　　　S　V

직독직해 대답을 들을 수 없었다 / 그로부터 / 〈그런〉 나는 / 다시 편지를 썼다

해　석 그로부터 대답을 들을 수 없었던 나는 다시 편지를 썼다.

275.

He is ashamed of never having been abroad *while* (he was) young.
　S　V　　　　　　　O

직독직해 그는 / 수치스러워한다 / 결코 해외에 나가보지 않은 것을 / 젊었을 때

해　석 그는 젊었을 때 결코 해외에 나가보지 않은 것을 수치스러워한다.

276.

The building is reported to have been badly damaged (by fire).
　S　　　　V　　SC

직독직해 그 건물은 / 심하게 훼손되었다고 전해진다 / 화재로

해　석 그 건물은 화재로 심하게 훼손되었다고 전해진다.

277.

The casino (in Florida) is believed to have generated more than $250 million dollars
　S　　　　　　　　V　　SC
(annually) (in profit).

직독직해 플로리다의 카지노는 / 창출해냈다고 여겨진다 / 2억 5천만 달러 이상을 / 매년 이윤에서

해　석 플로리다의 카지노는 매년 2억 5천만 달러 이상의 이윤을 창출해냈다고 여겨진다.

278.

The allegations (about climate scientists) are believed to have contributed to a sharp
S   V   SC
rise (in public scepticism) (about climate change).

직독직해 기후학자들에 대한 혐의들은 / 기여해 왔다고 믿어진다 / 급격한 상승에 / 대중적 회의주의의 / 기후 변화에 대한

해　　석 기후학자들에 대한 혐의들은 기후 변화를 둘러싼 대중적 회의주의의 급격한 상승에 기여해 왔다고 믿어진다.

279.

Having invented machinery, man has become enslaved (by it), *as* he was (of old)
                                 S   V   SC   S V
enslaved (by the gods) [created (by his imagination)].

직독직해 기계를 발명했다 / 〈그런〉 인간은 그것의 노예가 되었다 / 그가 옛날부터 노예였던 것처럼 / 그의 상상에 의해 창조된 신들에 의해

해　　석 기계를 발명하고 난 후, 인간은 옛날에 자신의 상상력에 의하여 창조된 신들의 노예가 되었듯이 기계의 노예가 되고 말았다.

280.

The accumulation of knowledge does not confer any superiority (on man) *if* he
S   V   O   S
reaches the end of his life (without having deeply evolved) (as a responsible element
V   O
of humanity).

직독직해 지식의 축적은 / 주지 않는다 / 어떤 우월성도 / 인간에게 / 만일 / 그가 / 도달한다면 / 인생의 종말에 / 큰 발전을 이룩하지 않고 / 책임 있는 인류의 한
구성원으로서

해　　석 지식의 축적은 만약 인간이 책임 있는 인류의 한 구성원으로서 큰 발전을 이룩하지 않고 인생의 종말에 다다른다면, 인간에게 아무런 우월성도 주지
못한다.

준동사의 관용적 표현

281.

He studied (very hard) (only to fail the examination).
S V   to부정사(결과)

직독직해 그는 매우 열심히 공부했는데 / 결국 그 시험에 떨어졌다

해 석 그는 매우 열심히 공부했지만, 그 시험에 떨어졌다.

We hurried (to the station) (only to miss the train).
S V   to부정사(결과)

직독직해 우리는 역까지 서둘러 갔다 / 결국 기차를 놓쳤다

해 석 우리는 역까지 서둘러 갔지만 결국 기차를 놓쳤다.

That frustration has pushed tens of thousands to demonstrate, (only to be (swiftly)
S   V   O   OC   to부정사(결과)
quieted *when* local governments used force and intimidation).
                S   V   O

직독직해 그 좌절감은 밀어 붙였다 / 수만 명이 / 항의하도록 / 그러나 재빨리 진압되었다 / 지방 정부가 폭력과 위협을 사용했을 때

해 석 그 좌절감 때문에 수만 명이 거리로 나가 항의했지만 지방 정부가 폭력과 위협을 동원해 재빨리 진압했다.

282.

It is no use trying to persuade me.
가S V SC   진S
= It is of no use to try to persuade me.
  가S V SC   진S
= There is no use ((in) trying to persuade me).
        V S

직독직해 소용없다 / 나를 설득시키려 하는 것이

해 석 나를 설득시키려 해도 소용없다.

283.

There is no telling <**what** will happen tomorrow>.
    V S

= It is impossible to tell <**what** will happen tomorrow>.
  가S V   SC   진S

직독직해 알 수 없다 / 내일 어떤 일이 일어날지는

해　석 내일 어떤 일이 일어날지는 알 수 없다.

284.

It goes (without saying <**that** health is above wealth>).
S V

= It is needless to say <**that** health is above wealth>.
  가S V   SC   진S

= It is a matter of course <**that** health is above wealth>.
  가S V   SC   진S

직독직해 말할 것도 없다 / 건강이 재산보다 낫다는 것은

해　석 건강이 재산보다 낫다는 것은 말할 것도 없다.

285.

This book is worth reading.
S   V SC

= This book is worthy of reading.
  S   V SC

= It is worthwhile to read this book.
  가S V   SC   진S

= It is worthwhile reading this book.
  가S V   SC   진S

= This book is worthwhile to read.
  S   V SC

직독직해 이 책은 읽을 가치가 있다

해　석 이 책은 읽을 가치가 있다.

286.

I feel like crying.
S V

= I feel inclined to cry.
  S V   SC

직독직해 나는 울고 싶다

해　석 나는 울고 싶다.

287.

He came near being killed.
S V   SC

= He (narrowly) escaped being killed.
S   V   O

직독직해 그는 거의 죽을 뻔했다

해   석 그는 거의 죽을 뻔했다.

288.

He watched TV (instead of studying).
S V   O

직독직해 그는 TV를 보았다 / 공부하는 대신

해   석 그는 공부하는 대신 TV를 보았다.

289.

(Besides getting a job), I will get married (soon).
                   S V   SC

직독직해 취직하는 것 외에도 / 나는 곧 결혼도 하겠다

해   석 나는 취직하는 것 외에도 곧 결혼도 하겠다.

290.

I couldn't help laughing (to hear the news).
S V   to부정사(원인)

= I couldn't but laugh (to hear the news).
S V

= I could do nothing but laugh (to hear the news).
S V

= I couldn't choose but laugh (to hear the news).
S V

= I had no choice but to laugh (to hear the news).
S V

= There was nothing (for it) (but to laugh) (to hear the news).
      V   S

직독직해 나는 웃지 않을 수 없었다 / 그 소식을 듣고

해   석 나는 그 소식을 듣고 웃지 않을 수 없었다.

291.

I (never) see this picture (without thinking of my mother).
S V   O

= I (never) see this picture ***but*** I think of my mother.
S V   O   S V   O

= ***When*** I see this picture, I always think of my mother.
S V   O   S   V   O

= ***Whenever*** I see this picture, I think of my mother.
S V O   S V   O

〔직독직해〕 이 사진을 본 적이 없다 / 우리 엄마를 생각하지 않고

〔해　석〕 이 사진을 볼 때마다 엄마 생각이 난다.

292.

She kept telling herself <**that** she would scold him ***when*** he came in>.
S V   IO   DO S₁ V₁   O₁   S₂ V₂

〔직독직해〕 그녀는 자신에게 계속 되뇌었다 / 그를 꾸짖으리라고 / 그가 들어오면

〔해　석〕 그녀는 그가 들어오면 그를 꾸짖으리라 계속해서 자신에게 되뇌었다.

Take care (to keep the wound from being infected).
V   O   to부정사(목적) V O   OC

〔직독직해〕 주의해라 / 상처가 감염되는 것으로부터 막기 위해

〔해　석〕 상처에 균이 들어가지 않도록 주의하십시오.

293.

He went (to Italy) (with a view to studying opera).
S V

= He went (to Italy) (for the purpose of studying opera).
S V

〔직독직해〕 그는 / 이탈리아로 갔다 / 오페라를 공부하기 위해

〔해　석〕 그는 오페라를 공부하기 위해 이탈리아로 갔다.

294.

It is a profession of my own choosing.
S V SC

직독직해 그것은 직업이다 / 내가 스스로 선택한

해 석 그것은 내가 스스로 선택한 직업이다.

295.

I make a point of playing tennis (every other day).
S V   O

= I make it a rule to play tennis (every other day).
  S V   가O OC   진O

= I am (in the habit of playing tennis) (every other day).
  S V   SC

직독직해 나는 / 원칙으로 삼고 있다 / 테니스 치는 것을 / 격일로

해 석 나는 격일로 테니스 치는 것을 원칙으로 삼고 있다.

296.

The secret is (on the point of being revealed).
S   V

= The secret is about to be revealed.
  S   V

직독직해 그 비밀은 폭로될 찰나에 있다

해 석 그 비밀이 폭로될 찰나에 있다.

297.

What do you say (to taking a walk) (in the park)?
O   V S

= What do you think (about taking a walk) (in the park)?
  O   V S

= How about taking a walk (in the park)?
              전O

직독직해 너는 뭐라고 할 것이냐 / 공원에서 걷는 것에 대해

해 석 공원을 산책하는 것이 어때?

298.

She is far (from driving a car).
S   V   SC

= She is (above driving a car).
S   V   SC

= She (never) drives a car.
S   V   O

[직독직해] 그녀는 결코 운전하지 않는다

[해　석] 그녀는 결코 운전하지 않는다.

299.

He is busy (preparing for the exam).
S   V

= He is busy with preparation for the exam.
S   V   O

[직독직해] 그는 시험을 준비하느라 바쁘다

[해　석] 그는 시험 준비에 바쁘다.

300.

You can have it (for the asking).
S   V   O

= You can have it *if only* you ask.
S   V   O   S   V

[직독직해] 너는 그것을 가질 수 있다 / 요청하기만 하면

[해　석] 너는 요청만 하면 그것을 가질 수 있다.

301.

He is too old (to fall in love (with such a young girl)).
S   V   SC   to부정사(정도)

= He is so old *that* he can't fall in love (with such a young girl).
S   V   SC   S   V

[직독직해] 그는 너무 늙었다 / 그렇게 어린 소녀와 사랑에 빠지기에

[해　석] 그는 나이가 너무 많아서 그렇게 어린 소녀와 사랑에 빠질 수가 없다.

302.

He looks forward to seeing you (in time).
S   V   O

`직독직해` 그는 / 기대한다 / 당신을 볼 것을 / 조만간

`해   석` 그는 당신을 빠른 시간 내에 보기를 기대한다.

303.

A microphone is used (to magnify small sounds) or (to transmit sounds).
S   V   to부정사(목적) V₁ O₁   to부정사(목적) V₂ O₂

`직독직해` 확성기는 사용된다 / 작은 소리를 확대하거나 / 소리를 전달하기 위해

`해   석` 확성기는 소리를 확대하거나 전달하는 데 쓰인다.

He is used to getting up (early).
S V

`직독직해` 그는 일찍 일어나는 데 익숙하다

`해   석` 그는 일찍 일어나는 데 익숙하다.

PART 06

접속사편

최소시간 X 최대효과 = 초고효율 심우철 합격영어

형용사절

Chapter 01

Pattern 30

관계대명사 who / which / that의 해석

304.

Students develop self-confidence [which makes learning and personal growth possible].
　S　　　V　　　　O　　　　　　S관·대　V　　O　　　　　　　　　　　　OC

직독직해 학생들은 / 자신감을 기른다 / 〈그런데 그 자신감은〉 만든다 / 학습과 개인적 성장이 / 가능하도록

해 석 학생들은 자신감을 기르는데, 그 자신감은 학습과 개인적 성장이 가능하도록 만든다.

cf.

He is very candid, [which I am not].
S　V　SC　　　　SC　　S　V

직독직해 그는 / 매우 솔직하다 / 〈그런데 그것은〉 나는 아니다

해 석 그는 매우 솔직한데, 나는 아니다.

cf.

He wanted to come, [which was impossible].
S　　V　　　O　　　S관·대　V　　SC

직독직해 그는 오고 싶어 했다 / 〈그런데 그것은〉 불가능했다

해 석 그는 오고 싶어 했지만, 불가능했다.

305.

A professor lectured (for an hour) (on the dishonesty of certain dictionary editors
　S　　　　V
[who omitted a word (from the dictionary) (because of moral objections)]).
　S관·대　V　　　O

직독직해 한 교수가 / 강의했다 / 1시간 동안 / 어떤 사전 편집자들의 부정직함에 대해 / 〈그런데 그 사전 편집자들은〉 한 단어를 빼버렸다 / 사전에서 / 도덕적인 거부 때문에

해 석 한 교수가 어떤 사전 편집자들의 부정직함에 대해 1시간 동안 강의했는데, 그 사전 편집자들은 도덕적인 거부 때문에 사전에서 한 단어를 빼버렸다.

306.

A mathematician is a person [whose primary area of study and research is the field of
S   V SC   S   V SC
mathematics].

직독직해 수학자는 / 사람이다 / 〈그런데 그 사람의〉 연구와 조사의 주된 영역은 / 수학 분야이다

해　석 수학자는 연구와 조사의 주된 영역이 수학 분야인 사람이다.

307.

(In general), parents feel a special kind of love (for their own children) [that they do
S   V   O   O관·대 S V
not feel (for other children)].

직독직해 일반적으로, 부모들은 / 느낀다 / 특별한 유형의 사랑을 / 그들 자신의 아이들에게 / 〈그런데 그것을〉 그들은 / 느끼지 않는다 / 다른 아이들에게는

해　석 일반적으로, 부모들은 그들 자신의 아이들에게 특별한 유형의 사랑을 느끼는데, 그들은 그것을 다른 아이들에게는 느끼지 않는다.

308.

Each disc includes a brief introduction (to the artist) and some interesting information
S   V   O₁   O₂
[which gives guidance (in discovering more (about classical music))].
S관·대 V   O

직독직해 각각의 음반은 / 담고 있다 / 음악가에 대한 간략한 소개와 / 흥미로운 정보들을 / 〈그런데 그 정보가〉 안내를 제공한다 / 고전음악에 대해 더 많은 것
들을 발견하게 하는

해　석 각각의 음반은 음악가에 대한 간략한 소개와 고전음악에 대해 더 많은 것들을 발견하도록 안내를 해주는 흥미로운 정보들을 담고 있다.

309.

American inventor Thomas Edison, [who had no college degree], (nonetheless) made
S   S관·대 V₁ O₁   V
himself a classic success story (as <what we (now) call a "technologist>)."
O   OC   S₂   V₂   OC₂

직독직해 대학 학위가 없었던 미국의 발명가 토머스 에디슨은 / 그럼에도 불구하고 / 스스로를 만들었다 / 고전적인 성공담으로 / 우리가 오늘날 "과학 기술자"
라고 부르는 것으로서

해　석 미국의 발명가 토머스 에디슨은 대학 학위는 없었지만, 그럼에도 불구하고 오늘날 우리가 "과학 기술자"라고 부르는 고전적인 성공담을 만들어
내었다.

310.

History has recorded many instances of creative and imaginative people [whose talents were not (initially) recognized (by their contemporaries)] or [whose talents were not evident (at an early age)].

S · V · O · 소유격 관·대 · S1 · V1 · 소유격 관·대 · S2 · V2 · SC2

직독직해 역사는 창의적이고 상상력이 풍부한 사람들의 많은 예들을 기록해 왔다 / 〈그런데 그들의〉 재능은 처음에는 그들의 동시대 사람들에 의해 인정되지 않았거나 / 그들의 재능이 이른 나이에는 눈에 띄지 않았다

해 석 역사는 처음에는 그 재능이 동시대인들에 의해 인정받지 못했거나 그들의 재능이 이른 나이에는 눈에 띄지 않았던 창조적이고 상상력이 풍부한 사람들의 많은 예들을 기록해 왔다.

311.

Too many children (here) enter the vicious spiral of malnutrition [which leads to greater susceptibility to infectious disease], [which (in turn) leads to a greater likelihood of developing malnutrition].

S · V · O · S관·대 · V1 · O1 · S관·대 · V2 · O2

직독직해 이곳의 너무 많은 아이들이 / 들어간다 / 영양실조의 악순환에 / 〈그런데 그 악순환은〉 전염병에 대한 더 큰 취약성을 초래한다 / 〈그런데 그것은〉 결국 영양실조가 심각해지는 더 큰 가능성을 이끈다

해 석 이곳의 너무 많은 아이들이 전염병에 걸리기 쉽게 하는 영양실조의 악순환에 빠져드는데, 이것(전염병에 대한 더 큰 취약성)은 결국 영양실조가 심화될 가능성을 더 크게 한다.

312.

The substantial rise (in the number of working mothers), [whose costs (for childcare) were not factored (into the administration's policymaking)], was one of the main reasons [that led to the unexpected result (at the polls)].

S · 소유격관·대 · S1 · V1 · V · SC · S관·대 · V2 · O2

직독직해 상당한 증가는 / 일하는 엄마들의 수에 있어서 / 〈그런데 그 엄마들의〉 보육에 대한 비용이 / 고려되지 않았다 / 행정부의 정책 입안에 / 주된 이유들 중 하나였다 / 〈그런데 그 이유가〉 여론 조사에서 예상치 못한 결과를 이끌었다

해 석 보육을 위한 비용이 행정부의 정책 입안에는 고려되지 않았던, 직업을 가진 엄마들의 수에 있어서의 상당한 증가는 그 여론 조사에서 예상치 못한 결과를 가져온 주된 이유 중 하나였다.

Pattern 31 **관계부사의 해석**

313.

I love this city of Busan [where I was born and raised].
S V   O   관.부   S V

직독직해 나는 / 사랑한다 / 이 도시 부산을 / 〈그런데 그곳에서〉 나는 / 태어나고 자랐다

해 석 나는 내가 태어나고 자랐던 이 도시 부산을 사랑한다.

314.

A cafe is a small restaurant [where people can get a light meal].
S V SC   관.부   S   V   O

직독직해 카페는 / 작은 식당이다 / 〈그런데 그곳에서〉 사람들이 / 가벼운 식사를 할 수 있다

해 석 카페는 작은 식당이고, 그곳에서 사람들이 가벼운 식사를 할 수 있다.

315.

He finished talking (with her) (at 2 o'clock), [when she wanted him to stay (a little
S V   O   관.부   S   V   O   OC
longer)].

직독직해 그는 / 끝냈다 / 그녀와 이야기하는 것을 / 두 시에 / 〈그런데 그때〉 그녀는 / 원했다 / 그가 / 더 오래 머물기를

해 석 그는 그녀와 이야기하는 것을 두 시에 끝냈는데 그때 그녀는 그가 더 오래 머물기를 원했다.

316.

This is the house [where I used to live *when* I was young].
S V SC   관.부   S₁V₁   S₂V₂   SC₂

직독직해 이것은 / 그 집이다 / 〈그런데 그 집에〉 내가 / 살았었다 / 내가 어렸을 때

해 석 이 집은 내가 어렸을 때 살던 집이다.

This is the house [which I bought (5 years ago)].
S V SC   O관.대   S V

직독직해 이것은 / 그 집이다 / 〈그런데 그 집을〉 내가 / 5년 전에 샀다.

해 석 이것은 내가 5년 전에 산 집이다.

형용사절

317.

Because the quality of air is becoming poorer and poorer, I think <the time may (soon)
come [when we have to take an oxygen tank (with us) **wherever** we go]>.

직독직해 공기의 질이 갈수록 나빠지고 있기 때문에 / 나는 / 생각한다 / 그때가 곧 올 것이라고 / <그런데 그때> 우리는 / 가지고 다녀야 한다 / 산소 탱크를 / 우리가 가는 곳 어디든

해　석 공기의 질이 갈수록 나빠지고 있기 때문에, 나는 우리가 가는 곳 어디든 산소 탱크를 가지고 다녀야 하는 때가 곧 올 것이라고 생각한다.

318.

The victim, having agreed to this seemingly innocent request, goes (to a room) [where
a number of people — (about half a dozen) — and the experimenter are seated].

직독직해 그 희생자는 / 이러한 겉보기에는 순수한 요청에 동의한 / 간다 / 방으로 / <그런데 그 방에> 여러 명의 사람들과 / 대략 대여섯 명의 / 그리고 실험자가 앉아 있다

해　석 그 희생자는 이러한 겉보기에는 순수한 요청에 동의를 하여 대략 대여섯 명의 많은 사람들과 실험자가 앉아 있는 한 방으로 간다.

319.

One custom [that is common (at weddings) (in the United States)] is throwing rice (at
the bride and groom) **as** they leave the place [where the wedding ceremony has (just)
been held].

직독직해 일반적인 한 가지 관습은 / 미국의 결혼식에서 / 쌀을 던지는 것이다 / 신부와 신랑에게 / 그들이 그 장소를 떠날 때 / <그런데 그곳에서> 결혼식이 방금 벌어졌다

해　석 미국 결혼식에서의 흔한 한 가지 관습은 신부와 신랑에게 그들의 결혼식이 방금 치러진 그 장소를 떠날 때 쌀을 던지는 것이다.

「전치사 + 관계대명사」의 해석

320.

We went (to the seashore), [on which we found many shells].
S V   전O관·대 S V   O

직독직해 우리는 / 갔다 / 해안에 / 〈그런데 그 해안 위에서〉 우리는 / 발견했다 / 많은 조개를

해 석 우리는 해안에 가는데, 그 위에서 우리는 많은 조개를 발견했다.

321.

I bought many books, [all of which I have not read].
S V   O   전O관·대 S V

직독직해 나는 / 샀다 / 많은 책을 / 〈그런데 그 책들 모두〉 나는 / 읽지 않았다

해 석 나는 많은 책을 샀는데 나는 그 책들 모두 읽지 않았다.

322.

Newspapers and television are said to be the main source [from which the public derives
S   V   SC   전O관·대 S   V
its knowledge and information of the facts].
O

직독직해 신문과 텔레비전은 / 말해진다 / 주된 원천이라고 / 〈그런데 그 원천으로부터〉 일반 대중은 / 얻는다 / 사실에 관한 지식과 정보를

해 석 신문과 텔레비전은 일반 대중이 사실에 관한 지식과 정보를 얻는 주된 원천이라고 말해진다.

323.

We are pumping huge quantities of CO_2 (into the atmosphere), [(almost) one-third of
S V   O   S
which comes (from cars)].
전O관·대 V

직독직해 우리는 / 내뿜는다 / 엄청난 양의 이산화탄소를 / 대기 속으로 / 〈그런데 그 CO2의 거의 1/3은〉 / 나온다 / 자동차에서

해 석 우리는 엄청난 양의 이산화탄소를 대기 속으로 내뿜는데 그 CO2의 거의 1/3은 자동차에서 나온다.

324.

Some stations have automatic gates [through which passengers have to pass
S   V   O   전O관·대   S   V

(in order to get to the platforms)].
to부정사(목적)

직독직해 몇몇 역은 / 가지고 있다 / 자동 개찰구를 / 〈그런데 그것을 통해〉 승객들이 지나가야만 한다 / 플랫폼에 다다르기 위해

해　석 몇몇 역에 승객들이 플랫폼에 다다르려면 통과해서 지나가야만 하는 자동 개찰구가 있다.

325.

I talked with him (a long while) (about our boyhood days), [after which we had a
S V   O   계속적 용법 전O관·대 S V O

good dinner]. I had thought him shy, [which he was not].
      S   V   O OC 계속적 용법 S V

직독직해 나는 / 이야기했다 / 그와 / 오랫동안 / 우리의 소년 시절에 대해 / 〈그런데 그 후에〉 우리는 맛있게 저녁을 먹었다 // 나는 그가 수줍어한다고 생각했다 / 그러나 그는 그렇지 않았다

해　석 나는 우리의 소년 시절에 대해 그와 오랫동안 이야기를 나누었으며, 그 다음에 맛있게 저녁을 먹었다. 나는 그가 수줍어한다고 생각했었는데, 그러나 그는 그렇지 않았다.

326.

<**How** much one can earn> is important, (of course), but there are other (equally)
S₁   V₁ SC₁   V₂ S₂

important considerations, [neglect of which may produce frustration (in later years)].
           S   전O관·대 V   O

직독직해 얼마나 많이 벌 수 있는가는 물론 중요하지만 / 똑같이 중요한 다른 고려사항들도 있다 / 〈그런데 그것들에 대한〉 무시는 / 훗날 좌절감을 초래할 수 있다

해　석 물론 얼마나 많이 벌 수 있느냐도 중요하지만, 무시하면 훗날 좌절감이 생길 수도 있는 똑같이 중요한 다른 고려사항들도 있다.

327.

We all need friends [with whom we can speak of our deepest concerns], and [who
provide us with some things [that we can't get (from a smaller number of close
friends)]].

직독직해 우리는 모두 / 필요로 한다 / 친구를 / 〈그런데 그들과 함께〉 우리의 깊은 관심사를 말할 수 있다 / 그리고 / 우리에게 제공한다 / 우리가 소수의 가까운
친구에게서 얻을 수 없는 어떤 것들을

해 석 우리 모두는 우리의 깊은 관심을 함께 말할 수 있는 친구들과 소수의 가까운 친구에게서 얻을 수 없는 것들을 주는 친구가 필요하다.

328.

The company has presented several different alternatives (to the group), [none of
which was acceptable (to all of the members)] [who were present (at the time of the
meeting)].

직독직해 그 회사는 / 제시해 왔다 / 몇 가지 다른 대안을 / 그 그룹에 / 〈그런데 그 중에서〉 어느 것도 / 받아들여지지 않았다 / 회의에 참석했던 모든 사람들에게

해 석 그 회사는 그 그룹에 몇 가지 다른 대안을 제시했지만, 그 중 어느 것도 회의에 참석한 모든 사람들에게 수락되지 않았다.

329.

(Only) (recently), (in fact), have men conquered, (by means of the spoken word), any
space [(that is) larger than that [over which the natural voice will carry]], *whereas*
(down through the long course of history), writing has been of inestimable service (in
bringing men and nations (closer) (together)).

직독직해 사실 최근에 와서야 / 인간은 정복했다 / 구어를 사용해서 / 육성이 도달할 공간보다 더 넓은 공간을 / 반면에 / 긴 역사의 과정 동안 / 문자는 / 헤아릴
수 없을 정도의 도움이 되어왔다 / 인간과 국가가 친밀해지는 데

해 석 사실 최근에 와서야, 인간은 구어를 사용해서 육성이 도달할 공간보다 넓은 공간을 정복한 반면에 긴 역사의 과정 속에서 문자는 인간과 국가가 좀 더
친밀해지는 데 헤아릴 수 없을 정도로 도움이 되어 왔다.

Pattern 33   **관계대명사의 생략**

330.

The child [(who is) called an orphan] is the one [whose parents are dead].
S   (S관·대 + be동사 생략)   V   SC   S   V

[직독직해] 아이는 / 고아라고 불리는 / 부모가 죽은 아이다

[해 석] 고아라고 불린 아이는 그 아이의 부모가 죽은 아이다.

331.

The man [(who is) sitting (on a bench)] is the person [who I am looking for].
S   (S관·대 + be동사 생략)   V   SC   O관·대 S V

[직독직해] 그 남자는 / 벤치에 앉아 있는 / 사람이다 / 내가 찾고 있는

[해 석] 벤치에 앉아있는 그 남자는 내가 찾고 있는 그 사람이다.

332.

Most glaciologists believe <(that) it would take another 300 years for the glaciers to
S   V   O   가S V   O   의미상 주어   진S
melt (at the present rate)>.

[직독직해] 대부분의 빙하학자들은 / 믿는다 / 또 300년이 걸릴 것이라고 / 〈뭐가?〉 빙하가 녹는 것이 / 현재의 속도로

[해 석] 대부분의 빙하학자들은 빙하가 녹는 것이 현재의 속도로는 또 300년이 걸릴 것이라고 믿는다.

333.

One big mistake [(that) a lot of teachers make] is stigmatizing a student [who shows
S   (O관·대 생략) S   V   V   O   S관·대 V₁

poor performance (in school), but (in fact) has a great talent (for something else)].
O₁   V₂   O₂

직독직해 한 가지 큰 실수는 / 〈그런데 그 실수를〉 많은 교사들이 범한다 / 학생에게 오명을 씌우는 것이다 / 〈그런데 그 학생은〉 부진한 성적을 보여준다 / 학교
에서는 / 하지만 사실 굉장한 재능을 가지고 있다 / 그 밖의 다른 것에서는

해　석 많은 교사들이 범하는 한 가지 큰 실수는 학교에서는 부진한 성적을 보여주지만 사실 그 밖의 다른 것에서 굉장한 재능을 가지고 있는 학생에게 오명
을 씌우는 것이다.

334.

One of the most important lessons [(that) we can learn] is to stop thinking and start
S   (O관·대생략) S V   V SC

doing.

직독직해 가장 중요한 교훈 중 하나는 / 우리가 배울 수 있는 / 생각하기를 그만두고 행동하기 시작하는 것이다

해　석 우리가 배울 수 있는 가장 중요한 교훈 중 하나는 생각하기를 그만두고 행동하기 시작하는 것이다.

335.

The type of clothing [(that) we wear], the kind of houses [in which we live], the type
S₁   (O관·대 생략) S₁ V₁   S₂   전O관·대 S₂ V₂ S₃

of recreation [(that) we enjoy], and the kind of food [(that) we eat], are the result of
                (O관·대 생략) S₃ V₃   S₄   (O관·대 생략) S₄ V₄ V SC

the influences of the groups [to which we belong].
                               전O관·대 S₅ V₅

직독직해 우리가 입는 옷의 종류 / 우리가 사는 집의 종류 / 우리가 즐기는 오락의 종류 / 우리가 먹는 음식의 종류들은 / 우리가 속해 있는 집단의 영향의 결과이다

해　석 우리들이 입는 옷, 우리들이 사는 집, 우리들이 즐기는 오락, 그리고 우리들이 먹는 음식, 이 모든 것은 우리들이 속한 집단에서 받은 영향의 결과이다.

336.

Mr. President said <(that) a freedom agenda would give individuals more power and (would give) government less (power)>, and promised, *as* he pushed controversial ideas (like revamping Social Security), to reach across party lines.

(underline labels: S / V₁ / O₁ (생략) S / V / IO₁ / DO₁ ... (생략) IO₂ / DO₂ / (생략) V₂ / S₃ V₃ / O₃ ... O₂)

직독직해 대통령은 말했다 / 자유 안건은 줄 것이라고 / 개인에게 더 큰 힘을 / 그리고 정부에게는 더 적은 힘을 / 그리고 약속했다 / 그가 논쟁적인 생각들을 추진했듯이 / 사회보장제도를 개편하는 것과 같은 / 정당 노선들을 초월할 것을

해 석 대통령은 자유 안건이 개인들에게는 더 많은 힘을, 정부에는 더 적은 힘을 줄 것이라고 말했고, 그가 사회보장제도를 개편하는 것과 같은 논쟁적인 생각들을 추진했듯이 정당 노선들을 초월할 것을 약속했다.

337.

Since words convey an impression as well as a meaning, a writer must choose his words *so that* the impression [(that) they convey] will be suitable (to the meaning [(that) he intends the reader to understand]).

(underline labels: S₁ / V₁ / O₁ ... S / V / O ... S₂ / (O관·대 생략) S₃ / V₃ / V₂ / SC₂ ... (O관·대 생략) S₄ V₄ / O₄ / OC₄)

직독직해 말은 의미뿐만 아니라 인상을 전달하기 때문에 / 작가는 반드시 용어를 선택해야 한다 / 그것들이 전하는 인상이 적합하도록 / 그가 독자들이 이해하기를 의도하는 의미에

해 석 말은 의미뿐만 아니라 인상도 전달하는 것이기 때문에, 작가는 말이 전달하는 인상이 그가 독자에게 이해시키려고 하는 의미에 알맞도록 용어를 선택해야 한다.

338.

(Among topics) [(that) we discussed (over lunch)] was the regrettable habit [(that) film directors (then) had] (of altering the plot of a novel) (to suit themselves), (to the extent) (even) (of changing a sad ending (into a happy one)).

(underline labels: (O관·대 생략) S₁ / V₁ / V / S / (O관·대 생략) / S₂ / V₂ / (동격) / to부정사(목적) ... (동격))

직독직해 점심 식사를 하면서 우리가 토론한 화제 중에는 / 유감스러운 버릇이 있었다 / 그 당시 영화감독들이 가진 / 소설의 줄거리를 바꾸는 / 자신들의 마음에 들도록 하기 위해 / 심지어 슬픈 결말을 행복한 결말로 바꿀 정도로까지

해 석 점심 식사를 하면서 우리가 토론한 화제 중에는 그 당시 영화감독들이 자신들의 마음에 들도록 하기 위해서 슬픈 결말을 행복한 결말로 바꿀 정도로까지 소설의 줄거리를 바꿔버리는 유감스러운 버릇에 대한 것도 있었다.

339.

The book is written (in such easy English) [as beginners can understand].
S   V   유사관·대 S   V

직독직해 그 책은 쓰여 있다 / 그러한 쉬운 영어로 / 초보자들도 이해할 수 있는

해 석 그 책은 초보자들도 이해할 수 있는 그러한 쉬운 영어로 쓰여 있다.

340.

He could not resist the temptation, as is (often) the case (with a young man).
S V   O   유사관·대 V   SC

직독직해 그는 / 뿌리칠 수 없었다 / 그 유혹을 / 〈그런데 그것은〉 종종 흔한 일이다 / 젊은이에게

해 석 그는 그 유혹을 뿌리칠 수 없었는데 이는 젊은이에게 종종 흔한 일이다.

341.

The ability [to sympathize with others] reflects the multiple nature of the human being,
S   V   O

<**his potentialities** (for many more selves and kinds of experience than any one being
동격절   유사관·대 S

could express)>.
V

직독직해 타인에 공감할 수 있는 능력은 / 반영한다 / 인간의 복합적 본성을 / 즉 잠재력을 / 더 많은 여러 인간상과 각종 경험에 대한 / 어느 한 인간이 표현할 수
있는 것보다

해 석 타인에 공감할 수 있는 능력은 인간의 복합적 본성, 즉 어느 한 인간이 표현할 수 있는 것보다 더 많은 여러 인간상과 각종 경험에 대한 잠재력을 반영
한다.

342.

                              유사관·대
There is no mother but loves her own child.
V S   V   O

= There is no mother [that does not love her own child].
V S   S관·대 V   O

직독직해 어머니는 없다 / 그녀의 자식을 사랑하지 않는

해 석 자기 자식을 사랑하지 않는 어머니는 없다.

343.

유사관·대
As was the custom (with him), he went out (for a walk) (after breakfast).
  V SC   S V

직독직해 그에게 습관이듯이 / 그는 산책을 나갔다 / 아침 식사 후에

해 석 늘 그랬듯이 그는 아침 식사 후에 산책을 나갔다.

344.

There is not any modern nation but has, (in some way), contributed to our science or
     V S   유사관·대 V   O
art or literature.

직독직해 어떤 현대 국가도 없다 / 어떤 면에서 공헌을 하지 않는 / 우리의 과학, 예술 혹은 문학에

해 석 현대 국가치고, 어떤 면에서도 우리의 과학, 예술 혹은 문학에 공헌을 하지 않은 나라는 없다.

345.

As life marches on, language must march (with it), taking in new words [to express
    S₁ V₁   S   V   V₂   O₂
new ideas], and leaving behind such words as belong to thoughts and facts [that have
                  V₃   O₃   유사관·대 V₄   O₄   S관·대 V₅
had their days].
     O₅

* have one's day: 번창하다

직독직해 삶이 계속되는 동안 / 언어도 / 계속되어 나가야 한다 / 그것(삶)과 같이 / 새로운 말을 받아들이면서 / 새로운 사상을 표현할 / 그리고 그런 말들을 뒤에 남기면서 / 번창했던 사상이나 사실에 속하는

해 석 삶이 계속되는 동안 새로운 사상을 표현할 새로운 말을 받아들이고 또 번창했던 사상이나 사실에 속하는 그런 말들을 뒤에 남기면서, 언어도 그것과 더불어 계속되어 나가야 한다.

346.

                                                    유사관·대
He had spoken (from impulse) rather than (from judgement), and as is (generally) the
S₁ V₁   V₁   SC₁
case (with men) [who do (so) speak], he had (afterwards) to acknowledge (to himself)
                         S관·대 V₂   S₂ V₂
<**that** he had been imprudent>.
   O₂   S₃ V₃   SC₃

직독직해 그는 이야기했다 / 판단보다는 오히려 충동으로 / 그리고 흔히 있는 일이듯이 / 그렇게 말하는 사람들에게 / 그는 나중에 인정해야 했다 / 스스로에게 / 자신이 경솔했다는 것을

해 석 그는 판단보다는 오히려 충동으로 이야기했고 그렇게 말하는 사람들이 대개 그러하듯이, 그는 자기가 경솔했다는 것을 나중에 스스로에게 인정해야 했다.

347.

One of the strange rules [which the Spartans had], was <that they should speak
S   O관·대   S₁   V₁   V   SC   S₂   V₂
(briefly), and never use more words than were needed>.
            V₃   O₃   유사관·대 V₄

직독직해 기이한 규칙들 중 하나는 / 스파르타인들이 가졌던 / 그들이 간결하게 말해야만 하고 / 절대 사용하면 안된다는 것이었다 / 더 많은 단어를 / 필요한 것
보다

해 석 스파르타인들이 지키고 있던 기이한 규칙들 중 하나는 간결하게 말해야 하며, 결코 필요 이상의 말을 해서는 안 된다는 것이었다.

348.

유사관·대
(Of course), as is standard (in the security business), we would require full guarantees
          V   SC   S   V   O
(for maintenance and service, and (most importantly), a competitive quotation).

직독직해 물론 / 표준이듯이 / 보안 업계에서 / 우리는 / 요구할 것이다 / 완전한 보장을 / 유지와 서비스, 그리고 가장 중요하게도 경쟁력 있는 견적에 대한

해 석 물론 보안 업계의 표준대로 우리는 유지와 서비스에 대해, 그리고 가장 중요하게도 (가격) 경쟁력 있는 견적에 대해 철저한 보장을 요구할 것이다.

349.

유사관·대
As is (often) the case (with them), **when** a wedding anniversary approaches, Korean
V₁   SC₁   S₂   V₂   S
husbands are forced to entertain their wives (with special gifts or trips (to destinations))
        V   O
[(that) the wives want to visit]).
(O관·대 생략) S₃   V₃

직독직해 그들에게 흔히 있는 일이듯이 / 결혼기념일이 다가올 때 / 한국 남편들은 / 즐겁게 하도록 강요된다 / 그들의 아내를 / 특별한 선물 또는 목적지로 향하
는 여행으로 / 아내들이 방문하기를 원하는

해 석 한국 남편들에게 흔히 있는 일로, 결혼기념일이 다가오면 그들은 특별한 선물을 하거나, 아내가 가고 싶어 하는 곳으로 여행을 감으로써 아내를 즐겁
게 해줘야 한다.

350.

My mother was (also) stubborn, **as** her mother had been (stubborn) (before her), and as
S₁   V₁   SC₁   S₁   V₁   생략   유사관·대
                                           to부정사(결과)
is (often) the case (with very clever young people), she grew up (to find her elders more
V₂   SC₂   S₂   V₂   V₃   O₃   OC₃
interesting company than members of her own generation).
                       비교대상

직독직해 어머니는 / 또한 완고하셨다 / 그녀의 어머니가 그러했듯이 / 그녀 이전에 / 그리고 흔한 일이듯이 / 아주 영리한 젊은이들에게 / 그녀는 자라서 발견했
다 / 연장자들이 / 더 재미있는 친구라는 것을 / 자신과 같은 세대 사람들보다

해 석 어머니의 어머니가 그 옛날 그러했듯이 어머니 역시 완고하셨고 아주 영리한 젊은이들에게는 자주 있는 일이듯이, 어머니는 성장해서 연장자들이 자
신과 같은 세대의 사람들보다 오히려 더 재미있는 친구라고 생각하게 되었다.

명사절

Pattern 35 의문사절

351.

He asked me <**which** I liked (better) (of the two)>.
S V IO DO S V

직독직해 그는 / 나에게 물었다 / 내가 어느 것을 더 좋아하는지를 / 둘 중에서

해 석 그는 나에게 내가 둘 중에서 어느 것을 더 좋아하는지를 물었다.

352.

I don't know <**what** book [to buy (for her)]>.
S V O

직독직해 나는 / 모르겠다 / 그녀를 위해 무슨 책을 사야할지를

해 석 나는 그녀를 위해 무슨 책을 사야할지를 모르겠다.

353.

Imagine <**what** it would be like to have a machine [that cures sick people]>.
V O 가S₁ V₁ SC₁ 진S₁ S관·대 V₂ O₂

직독직해 상상해 보라 / 무엇과 같을지(→ 어떠할지) / 〈뭐가?〉 기계를 갖는 것이 / 〈그런데 그 기계는〉 아픈 사람들을 치료한다

해 석 아픈 사람들을 치료하는 기계를 갖는 것이 어떠할지 상상해 보라.

354.

I want to know <**how** many visitors our Website receives (each day)> and <**which**
S V O₁ O₁ S₁ V₁ O₂
pages are visited>.
S₂ V₂

직독직해 나는 / 알고 싶다 / 얼마나 많은 방문객을 / 우리 웹사이트가 / 매일 받는지를 / 그리고 어느 페이지가 / 방문 되는지에 대해

해 석 나는 우리 웹사이트가 매일 얼마나 많은 방문객을 받는지, 그리고 어느 페이지가 방문 되는지에 대해 알고 싶다.

355.

They have certain ideas (about <**which** foods will increase their athletic ability, help
S V O S V1 O1 V2
them lose weight, or put them in the mood (for romance)>).
O2 OC2 V3 O3 OC3

직독직해 그들은 / 어떤 생각을 가진다 / 어느 음식이 / 그들의 운동 능력을 증대시키는지에 대해 / 또는 그들을 돕는지에 대해 / 체중을 줄이도록 / 또는 그들을
놓는지에 대해 / 낭만적인 분위기에

해 석 그들은 어느 음식이 그들의 운동 능력을 증대시키는지에 대해, 또는 그들이 체중을 줄이도록 돕는지에 대해, 또는 그들을 낭만적인 분위기에 놓는지에
대해 어떤 생각들을 가지고 있다.

356.

Imagine <**what** it must be like for a factory worker to arrive home (to his family) (with
V O 가S1 V1 SC1 의미상 주어 진S1
the news <**that** he's been laid off>)>.
(동격) S2 V2

직독직해 상상해 봐라 / 무엇과 같을지를 / 공장 근로자들이 / 집으로 돌아오는 것이 / 그들의 가족에게로 / 소식과 함께 / 그가 일자리를 잃었다는

해 석 집으로 돌아와서 가족들에게 일자리를 잃었다는 말을 전해야 하는 공장 근로자의 마음이 어떨지 상상해 봐라.

357.

If you cannot decide <**which** (of the two things) you should do>, you are likely to get
S1 V1 O1 S2 V2 S V
yourself into trouble (by doing neither).
O OC

직독직해 만약 당신이 결정할 수 없다면 / 두 가지 중 당신이 어느 것을 해야 할지 / 당신은 빠뜨리기 쉽다 / 당신 자신을 / 곤경에 / 둘 중 어느 것도 하지 않음으
로써

해 석 만약 당신이 두 가지 중에 어떤 것을 해야 할지 결정할 수 없다면 둘 중 어느 것도 하지 않음으로써 당신 자신을 곤경에 빠뜨리기 쉽다.

358.

The Cyber Crime Institute joined forces (with federal law enforcement agencies) (to
S V O to부정사(목적)
find out <(just) **how** much computer crimes are hurting business>, and <**how** far-
V1 O1 S3 V3 O3 O2 SC4
reaching the problem (really) is>).
S4 V4

직독직해 사이버 범죄 연구소는 / 힘을 합쳤다 / 연방법 집행 기관과 / 밝혀내기 위해 / 컴퓨터 범죄가 얼마나 많이 기업에 피해를 주는지 / 그리고 그 문제가 실
제로 얼마나 광범위한지

해 석 사이버 범죄 연구소는 컴퓨터 범죄가 얼마나 많이 기업에 피해를 주는지 그리고 그 문제가 실제로 얼마나 광범위한지를 밝혀내기 위해 연방법 집행 기
관들과 협력하였다.

359.

(In general), the context [in which the words are spoken] or the way [in which they
S₁　　　　　　　　　전O관·대　S₁　　　　V₁　　　　　　　　　S₂　　　　　　　전O관·대　S₂
are said] will tell us <which (of the possible speaker-meanings) is intended>.
V₂　　　V　　IO　DO　　　　　　　　　　　　　　　　　　　　　　　　　V₃

> **직독직해** 일반적으로 / 상황은 / 단어가 말해지는 / 또는 / 방식은 / 그것들이 말해지는 / 말해줄 것이다 / 우리에게 / 상대방이 정말로 말하고 싶어 하는 것이 어느 것인지를

> **해　석** 일반적으로, 단어가 말해지는 상황이나 말해지는 방식은 우리에게 상대방이 정말로 말하고 싶어 하는 것이 어느 것인지를 말해줄 것이다.

360.

When I go (for a walk) (to some place), I imagine <**who** came (there)>, <**what** kinds
　　　　S₁ V₁　　　　　　　　　　　　　　S　V　　　　O₁　　V₂　　　　　　　　O₂　　O₃
of memories they cherished>, <**what** they did and talked about (there)>, (and so on).
　　　　　　　　　S₃　V₃　　　　　　　　O₃　S₄　V₄

> **직독직해** 내가 산책을 하러 갈 때 / 어디론가 / 나는 상상한다 / 누가 그곳에 왔었는지 / 그들이 어떤 종류의 추억들을 소중히 했는지 / 그들이 그곳에서 무엇을 했고 무슨 이야기를 했는지 / 등등을

> **해　석** 내가 어디론가 산책을 하러 갈 때, 누가 그곳에 왔었는지, 그들이 어떤 종류의 추억들을 소중히 했는지, 그곳에서 그들이 무엇을 했고 무슨 이야기를 했는지 등등을 나는 상상한다.

361.

(With so much [to read], and so little time and opportunity [in which to read]), the
　　　　　　　　　　　　　　　　　　　　　　　　　　　　　　　　전O관·대　　　　　S
simplest and wisest thing [(that) we can do] is to choose the best books [(that) we
　　　　　　　　　　　　　(O관·대 생략) S₁　V₁　V　SC　　　　　　　　　　　　　(O관·대 생략) S₂
read].
V₂

> **직독직해** 그렇게 많은 읽을 것, 그렇게 적은 읽을 시간과 기회를 가지고 / 가장 간단하고 현명한 방법은 / 우리가 할 수 있는 / 선택하는 것이다 / 가장 좋은 책을 / 우리가 읽을

> **해　석** 읽을 것은 그토록 많은데 읽을 시간과 기회가 그토록 적으니, 우리가 할 수 있는 가장 간단하고 현명한 일은 우리들이 읽을 가장 좋은 책을 선택하는 것이다.

362.

(In my hometown), nobody would buy a melon (without feeling it and smelling it);
S₁   V₁   O₁

and nobody would dream of buying a chicken (without knowing <**which** farm it came
S₂   V₂   O₂   O₁   S₁ V₁

from> and <**what** it ate>).
S₂ V₂

직독직해 내 고향에서는 / 어느 누구도 / 멜론을 사지 않을 것이었다 / 그것을 만져보고 냄새 맡아보는 것 없이는 / 그리고 / 어느 누구도 / 꿈꾸지 않을 것이었다 / 닭고기를 구입하는 것을 / 그것이 어떤 농장에서 왔고 무엇을 먹었는지 알지 못한 채

해　석 내 고향에서는 멜론을 만져보고 냄새를 맡아보지 않고 사는 사람은 아무도 없었다. 그리고 닭고기가 어느 농장에서 왔고 무엇을 먹었는지를 알지 못한 채 닭고기를 구입하는 것은 아무도 꿈도 꾸지 않았다.

363.

Anyone [who has used e-mail (much)] has (probably) noticed <**how** easily one's
S   S관·대 V₁   O₁   V   O₁   S₂

casual, quickly typed comment can be misunderstood>, <**how** suddenly the tone
V₂   O₂   S₃

of e-mails can change>, and <**how** big conflicts can develop (rapidly) (from a few
V₃   O₃   S₄   V₄

lines)>.

직독직해 누구나 / 전자우편을 많이 사용해 왔던 / 아마 알아차렸을 것이다 / 얼마나 쉽게 / 어떤 한 사람이 무심결에, 신속하게 써 넣은 의견이 / 오해될 수 있는지 / 어떻게 갑자기 / 전자우편의 어조가 / 변할 수 있는지 / 그리고 어떻게 커다란 갈등이 / 발전할 수 있는지 / 순식간에 / 몇 줄로부터

해　석 어떤 한 사람이 무심결에 (자판으로) 신속하게 써 넣은 의견이 얼마나 쉽게 오해될 수 있는지, 전자우편의 어조가 어떻게 갑자기 변할 수 있는지, 또 어떻게 두세 줄의 글로 인해 커다란 갈등이 갑작스럽게 생길 수 있는지를 전자우편을 많이 써 본 사람이라면 아마 알아차렸을 것이다.

364.

Utility industry leaders, (in determining <**which** (of the various types of energy
S₁

sources) to develop>), make their decision (in the privacy of their room) (on the basis
V₁   O₁

of profitability), but (publicly) they justify their choice (on the basis of lowered rates
S₂   V₂   O₂

and increased safety).

직독직해 공익 산업의 지도자들은 / 결정하는 데 있어서 / 여러 가지 종류의 에너지원 중에 어느 것을 개발할지 / 결정을 내린다 / 그들의 방에서 사적으로 / 수익성을 기초로 / 그러나 / 공개적으로 / 그들은 / 정당화한다 / 그들의 결정을 / 낮아진 요금 체계와 높아진 안전성을 기초로

해　석 공익 산업의 지도자들은 여러 가지 종류의 에너지원 중에서 어느 것을 개발해야 할지를 결정하는 데 있어서 수익성을 기초로 자신들의 방에서 남몰래 결정을 내리지만, 공개적으로는 자신들이 낮아진 요금 체계와 높아진 안전성을 기초로 결정을 했다고 정당화한다.

Chapter 02 명사절

Pattern 36 「what + S + V」의 해석

365.

I was <**what** I was> *before* I (ever) laid eyes (on Peter Kann).
S V   SC   S₁ V₁   S₂   V₂   O₂

[직독직해] 나는 나였다 / 내가 두기 전에도 / 눈을 / Peter Kann에게

[해　석] 내가 눈을 Peter Kann에게 두기 전에도 나는 나였다.

366.

The true wealth does not consist in <**what** we have>, but (does consist) in <**what** we
S   V   O₁ S₁ V₁   O₂   S₂
are>.
V₂

[직독직해] 참된 부는 / 있지 않다 / 우리가 가지고 있는 것(재산)에 / 그러나 (있다) 지금의 우리(인격)에

[해　석] 참된 부는 우리가 가지고 있는 것(재산)에 있지 않지만 지금의 우리(인격)에 있다.

367.

Man is the only animal [that is struck with the difference (between <**what** things are>
S   V   SC   S관·대 V   O   S₁   V₁
and <**what** they ought to be>)].
     S₂   V₂

[직독직해] 인간은 / 유일한 동물이다 / 〈그런데 그 동물은〉 차이를 느낀다 / 현재의 상황(현실)과 그들이 되어야 하는 것(이상) 사이에서

[해　석] 인간은 현재의 상황(현실)과 그들이 되어야 하는 것(이상) 사이에서 차이를 느끼는 유일한 동물이다.

368.

One of the chief reasons [why man (alone) has made a rapid progress *while* other
animals remain <**what** they used to be>] is <**that** he came to know <**how** to use
fire>>.

直讀直解 주된 이유들 중의 하나는 / 인간만이 / 빠른 진보를 만들었던 / 다른 동물들이 남아 있는데 반해서 / 과거 그대로 / <그 이유는> / 이다 / 인간이 / 알게
되었다 / 불을 사용하는 방법을

해 석 다른 동물들이 과거 그대로 남아 있는데 반해서 인간만이 빠른 진보를 만든 주된 이유들 중의 하나는 인간이 불을 사용하는 방법을 알게 되었다는 것이다.

369.

Let's leave the matter *as* it is (for a while).

直讀直解 내버려 두자 / 그 문제를 / 있는 그대로 / 잠시 동안

해 석 잠시 동안 그 문제를 있는 그대로 내버려 두자.

370.

I should like to go (with you), but *as* it is, I can't.

直讀直解 나는 가고는 싶지만 / 너와 함께 / 그러나 / 사실은 / 나는 그럴 수 없다

해 석 나는 너와 함께 가고는 싶지만, 사실은 그럴 수 없다.

371.

Reputation is <**what** you seem>; character is <**what** you are>.

直讀直解 평판은 / 너의 외관이고 / 인격은 / 너의 본질이다

해 석 평판은 너의 외관이고, 인격은 너의 본질이다.

372.

(To the English), any attempt [to appear] or any wish [to become something (other than <**what** one (originally) is (by nature)>)] is contemptible, even dishonorable, (simply) *because* it is unnatural.

직독직해 영국인들에게 / 어떤 노력과 / 보이려는 / 또는 어떤 소망은 / 무엇인가 되려는 / 그들의 원래 모습이 아닌 / 천성적으로 / 멸시를 받고, 심지어 불명예스럽다 / 왜냐하면 단순히 / 이것은 부자연스럽기 때문이다

해석 영국인들에게 원래 모습과는 다른 것처럼 보이려는 어떤 노력 혹은 그렇게 되려는 어떤 소망은, 단지 그것이 부자연스럽다는 이유만으로도 멸시를 받으며 심지어 불명예스럽다.

373.

To read (well) is to read (with insight and sympathy), to become one (with your author), to let him live (through you), adding <**what** he is> (to <**what** you are>) (without losing your own characteristics).

직독직해 잘 읽는 것은 / 읽는 것이고 / 통찰력과 공감을 가지고 / 하나가 되는 것이며 / 당신의 작가와 / 작가가 살게 하는 것이다 / 당신을 통해 / 작가의 인격을 더하면서 / 당신의 인격에 / 당신 고유의 특성을 잃지 않고

해석 잘 읽는 것은 통찰력과 공감을 갖고 읽는 것이며, 저자와 하나가 되며, 당신을 통해 저자가 살게 하며, 당신 고유의 특성을 잃지 않고 당신의 인격에 저자의 인격을 더하는 것이다.

374.

We must understand <**that** the dream or vision will (always) be (beyond the accomplishment)>. This painful separation of <**what** (we see) we could be and should be> and <**what** we are> will remain *as long as* we are human.

직독직해 우리는 이해해야 한다 / 꿈이나 이상은 / 항상 있을 것이라는 것을 / 성취할 수 있는 수준 너머에 / 이러한 고통스러운 분리는 / 우리가 될 수 있고 되어야 한다고 생각하는 것과 / 현재의 우리의 / 계속 남아 있을 것이다 / 우리가 인간인 한

해석 꿈이나 이상은 성취할 수 있는 수준 너머에 항상 있을 것이라는 것을 우리는 이해해야 한다. 우리가 될 수 있고, 또한 되어야 한다고 생각하는 것과 현재의 우리의 고통스런 괴리는 우리가 인간인 한 끊임없이 계속될 것이다.

375.

So long as the mind of man is <**what** it is>, it will continue to rejoice (in advancing
on the unknown) (throughout the infinite field of the universe); and the tree of
knowledge will remain (for ever), ***as*** it was (in the beginning), a tree [to be desired
to make one wise].

직독직해 사람의 지성이 현재 상태인 한 / 이것은 기쁨을 느끼는 것을 계속할 것이다 / 미지의 것으로 다가가는 것에 있어 / 우주라는 끝없이 넓은 영역 도처에 있는 / 그리고 지식의 나무는 / 남아 있을 것이다 / 영원히 / 그랬던 것처럼 / 처음에 / 나무로 / 희망되는 / 인간을 현명하게 만들도록

해　석 사람의 지성이 현재 상태인 한, 우주라는 끝없이 넓은 영역 도처에 있는 미지의 것으로 다가가는 것에 있어 계속해서 기쁨을 느낄 것이다. 그리고 지식의 나무는 처음에 그랬던 것처럼 인간을 현명하게 만들도록 희망되는 나무로 영원히 남아 있을 것이다.

376.

The traditional goal of science has been to discover <**how** things are>, not <**how**
they ought to be>, but can a clean-cut distinction (between fact and value) (in the
interaction of science and society) be sustained (any longer)?

직독직해 과학의 전통적인 목적은 / 사물이 어떤지를 밝혀내는 것이었다 / 사물이 어때야 하는지가 아닌 / 그러나 / 명확한 구분이 / 사실과 가치 사이의 / 과학과 사회의 상호작용에서 / 유지될 수 있는가 / 더 이상

해　석 과학의 전통적인 목적은 사물이 어때야 하는지를 밝히는 것이 아닌, 사물이 어떤지를 밝혀내는 것이었지만, 과학과 사회의 상호작용에서 사실과 가치 사이의 명확한 구분이 더 이상 유지될 수 있겠는가?

Chapter 02 명사절

Pattern 37

Wh-ever의 해석

377.

**Whatever** happens, I will do it.
S   V   S V   O

직독직해 무엇이 일어나든지 간에 / 나는 / 그것을 할 것이다

해석 무엇이 일어나든지 간에 나는 그것을 할 것이다.

378.

**Whatever** problem you name, you can (also) name some hoped-for technological
O   S V   S V   O
solution.

직독직해 어떤 문제를 / 당신이 제기하든지 간에 / 당신은 / 또한 제기할 수 있다 / 어떤 기대할 만한 기술적 해결책을

해석 당신이 어떤 문제를 제기하든지 간에 당신은 또한 어떤 기대할 만한 기술적 해결책을 제기할 수 있다.

379.

This would give us the chance [to find information (quickly) and (to) communicate
S   V   IO DO
with others] _**no matter where**_ we are or (no matter) _**what**_ we are doing.
S₁ V₁   O₂ S₂ V₂

직독직해 이것은 / 제공해 줄 것이다 / 우리에게 기회를 / 정보를 빨리 찾고 / 다른 사람과 의사소통을 할 수 있는 / 우리가 어디에 있든 / 혹은 우리가 무엇을 하고 있든 간에

해석 이것은 우리에게 우리가 어디에 있든 혹은 우리가 무엇을 하고 있든 간에 정보를 빨리 찾고 다른 사람과 의사소통을 할 수 있는 기회를 제공해 줄 것이다.

380.

<**Whoever** comes first> will win the prize.
 S   V   O

직독직해 첫 번째로 오는 사람은 누구든지 / 상을 받을 것이다

해 석 첫 번째로 오는 사람은 누구든 상을 탈 것이다.

381.

Whichever you decide, I'll back you up.
           S   V   S V   O

직독직해 네가 어느 쪽을 결정하든지 간에 / 나는 너를 지지하겠다

해 석 네가 어느 쪽을 결정한다 해도, 나는 너를 지지하겠다.

382.

We should, (therefore), be ready to fight for the right [to tell the truth] *whenever* it
 S   V   O   V₁   O₁   S₂
is threatened.
 V₂

직독직해 그러므로 우리는 싸울 태세를 갖춰야 한다 / 진실을 말할 권리를 위해 / 그것이 위협받을 때마다

해 석 그러므로 우리는 진실을 말할 권리를 위해 그것이 위협받을 때마다 싸울 태세를 갖춰야 한다.

383.

The government recognizes <**that** the economy must remain strong> and is willing to
 S   V₁   O₁   S   V   SC   V₂
provide <**whatever** is needed> (in order to achieve this excellence).
         O₂   to부정사(목적)

직독직해 정부는 인식한다 / 경제가 강한 상태를 유지해야 한다는 것을 / 그리고 필요한 것은 무엇이든 제공할 의향을 가지고 있다 / 이러한 탁월함을 이루기 위해

해 석 정부는 경제가 강력한 상태를 유지해야 한다는 것을 인식하고 있으며, 이러한 탁월함을 이루기 위해 필요한 것은 무엇이든 제공할 의향이 있다.

Chapter 02 명사절

384.

Because the dignity of all human beings was of paramount importance (to them), they
$\underset{S_1}{}$ $\underset{V_1}{}$ $\underset{SC_1}{}$ $\underset{S}{}$
believed <**that** *no matter what* kind of work a person did, everyone's contribution (to
$\underset{V}{}$ $\underset{O}{}$ $\underset{O_2}{}$ $\underset{S_2}{}$ $\underset{V_2}{}$ $\underset{S_3}{}$
society) was of equal value>.
$\underset{V_3}{}$ $\underset{SC_3}{}$

직독직해 모든 인간의 존엄성은 그들에게 최고로 중요한 것이므로 / 그들은 / 믿었다 / 인간이 어떤 종류의 일을 하든지 간에 / 사회에 대한 모든 사람의 공헌은 / 똑같은 가치가 있다고

해 석 모든 인간의 존엄성은 최고로 중요한 것이므로 그들은 인간이 어떤 종류의 일을 하든지 사회에 대한 모든 사람의 공헌은 동일한 가치가 있다고 믿었다.

385.

Their instinct tells them <**whether** they are loved or not>, and (from those [whom
$\underset{S_1}{}$ $\underset{V_1}{}$ $\underset{IO_1}{}$ $\underset{DO_1}{}$ $\underset{O_{관·대}}{}$
they feel to be affectionate]), they will put up with <**whatever** strictness results from
$\underset{S}{}$ $\underset{V}{}$ $\underset{OC}{}$ $\underset{S_2}{}$ $\underset{V_2}{}$ $\underset{O_2}{}$
sincere desire (for their proper development)>.

직독직해 그들의 본능은 / 말한다 / 그들에게 / 그들이 사랑받고 있는지 아닌지를 / 그리고 / 그들에게 애정이 있다고 느끼는 사람들로부터 / 그들은 어떤 엄격함의 결과라도 참을 것이다 / 진지한 갈망에서 우러나오는 / 자신들의 올바른 발전을 위한

해 석 그들의 본능은 그들에게 그들이 사랑받고 있는지 아닌지를 말하며, 그들에게 애정이 있다고 느끼는 사람들로부터 자신들의 올바른 발전을 위한 진지한 갈망에서 우러나오는 어떤 엄격함의 결과라도 참아내려 할 것이다.

「how + 형/부」와 「however + 형/부」의 해석

386.

> ***However*** hard you may try, you cannot do it (in a week).
> ___ S V ___ S V ___ O

직독직해 아무리 열심히 네가 노력해도 / 너는 / 그것을 할 수 없다 / 일주일 이내에

해 석 아무리 열심히 네가 노력해도 너는 일주일 이내에 그것을 할 수 없다.

387.

> ***If*** others see <**how** angry, hurt, or hateful you become ***when*** they tell you the truth>,
> ___ S V O ___ S1 V1 ___ S2 V2 IO2 DO2
> they will avoid telling it (to you) (at all costs).
> ___ S V ___ O

직독직해 만약 다른 사람들이 알게 된다면 / 당신이 얼마나 화가 나고, 마음이 아프고, 불쾌한지 / 그들이 당신에게 사실을 말할 때 / 그 사람들은 피할 것이다 / 당신에게 사실을 말하는 것을 / 무슨 수를 써서라도

해 석 만약 다른 사람들이 그들이 당신에게 사실을 말할 때 당신이 얼마나 화가 나고, 마음이 아프고, 불쾌한지 알게 된다면, 그 사람들은 무슨 수를 써서라도 당신에게 사실을 말하는 것을 피할 것이다.

388.

> There is no living plant or animal, (***however*** common it may be), [that will not repay
> V ___ S ___ S관·대 V1
> study, and (will not) provide, (***if*** (it is) intelligently observed), quite an interesting story].
> ___ O1 ___ V2 ___ O2

직독직해 살아 있는 식물이나 동물은 없다 / 그것이 아무리 평범하더라도 / <그런데 그 동식물은> 연구에 보답하지 않고, / 제공하지도 않는다 / 현명하게 관찰된다면 / 정말로 흥미진진한 이야기를

해 석 그것이 아무리 평범하더라도, 연구에 보답하지 않고, 현명하게 관찰되어도 정말로 흥미진진한 이야기를 제공하지도 않는 살아 있는 식물이나 동물은 없다.

389.

> ***However*** intelligent and thoughtful a person may be, he or she cannot make wise
> ___ SC1 ___ S1 V1 ___ S V ___ O
> choices ***unless*** he or she knows the facts (about his or her problem).
> ___ S2 ___ V2 ___ O2

직독직해 사람이 아무리 총명하고 사려 깊다 해도 / 그들은 현명한 선택을 할 수 없다 / 그들이 그들의 문제에 관한 사실들을 모른다면

해 석 사람이 아무리 총명하고 사려 깊다 해도 자기의 문제에 관한 사실들을 잘 알지 못한다면 현명한 선택을 할 수 없다.

390.

No matter how much time you have squandered (in the past), the next hour [that comes (your way)] will be perfect, unspoiled, and ready for you (to make the very best of it).

직독직해 과거에 아무리 많은 시간을 헛되이 썼다 할지라도 / 당신의 삶에 오는 다음 시간은 / 완벽하고 / 손상되어 있지 않고 / 준비되어 있을 것이다 / 당신이 최대한 잘 이용하기에

해　석 과거에 아무리 많은 시간을 헛되이 썼다 할지라도 당신의 삶에 오는 다음 시간은 완벽하고, 손상되어 있지 않으며, 당신이 최대한 잘 이용할 수 있도록 준비되어 있을 것이다.

391.

We're confident <**that** *once* you see <**how** enjoyable our software is>, and <**how** productive it can make you>, you'll join the ranks of our more than 1 million satisfied customers>!

직독직해 우리는 확신한다 / 당신이 알게 되면 / 우리의 소프트웨어가 얼마나 재미있는지를 / 그리고 얼마나 당신의 생산성을 높일 수 있는지를 / 당신은 참여할 것이다 / 우리에게 만족하고 있는 백만 명 이상의 고객 대열에

해　석 저희 소프트웨어가 얼마나 재미있고 얼마나 여러분의 생산성을 높일 수 있는지 아신다면, 여러분도 저희 제품에 만족하고 계시는 백만 이상의 고객 대열에 참여하시게 될 거라고 확신합니다!

392.

A study (in the August 6 *New England Journal of Medicine*) shows <**how** difficult it can be for kids to avoid foods [that trigger allergies]> — and <**how** the consequences of a slip can be deadly>.

직독직해 연구는 / New England Journal of Medicine의 8월 6일 자에 있는 / 보여준다 / 얼마나 어려운지를 / 어린이들이 알레르기를 유발시키는 음식을 피하는 것이 / 그리고 부주의로 인한 결과가 어떻게 치명적일 수 있는지를

해　석 New England Journal of Medicine의 8월 6일 자에 실린 연구는 어린이들이 알레르기를 유발시키는 음식을 피하는 일이 얼마나 어려우며, 부주의로 인한 결과가 어떻게 치명적일 수 있는지를 보여준다.

393.

However well any article may be written, and *however* well any speech may be
S1   V1   S2   V2
reported, there is a charm (in the spoken word), (in the utterance of the living man),
        V   S
[which no beauty of style can imitate, and no arrangement of words can equal].
O관·대 S3   V3   S4   V4

직독직해 어떤 논설이 아무리 잘 써지더라도 / 그리고 어떤 연설이 아무리 잘 전해지더라도 / 매력이 있다 / 구어에는 / 살아있는 사람의 말에는 / 어떤 문체의
미도 모방할 수 없는 / 그리고 / 단어의 어떤 배열도 필적할 수 없는

해 석 어떤 논설이 아무리 잘 써지더라도, 그리고 어떤 연설이 아무리 잘 전해지더라도 구어, 즉 살아있는 사람의 말에는 어떤 문체의 아름다움도 모방할 수
없고 어떤 단어의 배열도 필적할 수 없는 매력이 있다.

394.

Instilling knowledge is (obviously) not irrelevant (to them), but their concerns (with
S1   V1   SC1   S2
it) are determined (by the much more important question of <**how** one enables a
    V2   S   V   O
student to become an autonomous thinker, [(who is) able to see conventional ideas
        OC   (S관·대 + be동사 생략)
(critically)]>).

직독직해 지식을 주입하는 것은 그들과 분명히 무관하지는 않다 / 하지만 이것과 관련된 그들의 관심은 결정된다 / 훨씬 더 중요한 물음에 의해 / 누군가가 어떻
게 학생이 자율적인 사색가가 되도록 하는지에 대한 / 관습적인 생각들을 비판적으로 볼 수 있는

해 석 지식을 주입하는 것은 그들과 분명히 무관하지는 않지만, 이것과 관련된 그들의 관심은 누군가가 어떻게 학생이 관습적인 생각들을 비판적으로 볼 수
있는 자율적인 사색가가 되도록 하는지에 대한 훨씬 더 중요한 물음에 의해 결정된다.

Chapter 02 명사절

Pattern 39   that의 용법

395.

That is my English teacher, Shimson.
S   V   SC

직독직해 저분은 / 나의 영어 선생님 심슨이시다 (지시대명사)

해 석 저분은 나의 영어 선생님 심슨이시다.

396.

That firm is the biggest (in the country).
S   V   SC

직독직해 저 회사는 가장 크다 / 그 나라에서 (지시형용사)

해 석 저 회사는 그 나라에서 가장 크다.

397.

I lost my watch [that my father had given (to me)].
S V   O   O·관·대 S   V

직독직해 나는 시계를 잃어버렸다 / 〈그런데 그 시계를〉 아버지가 / 나에게 주셨던 (관계대명사)

해 석 나는 아버지가 나에게 주셨던 시계를 잃어버렸다.

398.

I thought <**that** he could finish the work (before dark)>.
S V   O   S V   O

직독직해 나는 생각했다 / 그가 그 일을 끝낼 수 있을 거라고 / 어두워지기 전에 (명사절 접속사)

해 석 나는 그가 그 일을 어두워지기 전에 끝낼 수 있을 거라고 생각했다.

399.

She is so kind ***that*** we cannot hate her.
S   V   so SC   S   V   O

직독직해 그녀는 아주 친절해서 / 그 결과 우리는 그녀를 싫어할 수 없다 (부사절 접속사)

해 석 그녀는 아주 친절해서 우리는 그녀를 싫어할 수 없다.

400.

Should a bird fly (into your house), it would be an indication <**that** important news is
if 생략 도치   S₁   V₁   S   V   SC   (동격)   S₂   V₂
on the way>.
SC₂

직독직해 만약 새가 / 날아온다면 / 당신의 집 안으로 / 그것은 암시일 것이다 / 중요한 소식이 / 오는 중이라는

해 석 당신의 집으로 새가 날아들어 온다면, 그것은 중요한 소식이 오는 중이라는 암시일 것이다.

401.

Bullying has become so extreme and so common ***that*** many teens (just) accept it as
S   V   SC₁   SC₂   S   V   O   OC
part of highschool life (in the 90s).

직독직해 왕따는 / 너무나 과격해지고 흔해져서 / 많은 십 대들이 / 단순히 / 받아들인다 / 그것을 / 고교 생활의 일부로 / 90년대에

해 석 왕따는 90년대에 너무나 과격해지고 흔해져서, 많은 십 대들은 그것을 그저 고교 생활의 일부로 받아들인다.

402.

Their primitiveness would (only) confirm our sense <**that** we live (in a fundamentally
S   V   O   (동격) S   V
different world, one of constant, instant access to information)>.
(동격)

직독직해 그들의 원시성은 / 확고히 할 뿐이다 / 우리의 인식을 / 우리는 살고 있다는 / 근본적으로 다른 세계에 / 정보에 지속적이고 즉각적인 접근을 할 수 있는

해 석 그들의 원시성은 우리가 정보에 지속적이고 즉각적으로 접근할 수 있는, 근본적으로 다른 세계에 살고 있다는 우리의 인식을 확고히 할 뿐이다.

403.

(For example), *US News and World Report* shows <**that** a picture of the "typical"
millionaire is an individual [who has worked (eight to ten hours) (a day) (for thirty
years) and is (still) married to his or her high school or college sweetheart]>.

직독직해 예를 들어 / US News and World Report는 / 보여준다 / "전형적인" 백만장자의 모습은 / 한 개인이라는 것을 / 일해 온 / 8시간에서 10시간을 / 하루에 / 30년 동안 / 그리고 여전히 결혼 생활을 하는 / 그들의 고등학교나 대학교 때의 애인과

해석 예를 들어, "전형적인" 백만장자의 모습은 30년 동안 하루에 8시간에서 10시간 일해 왔고, 아직도 고등학교나 대학교 때의 애인과 결혼 생활을 유지하는 사람이라는 것을 US News and World Report는 보여준다.

if / whether의 해석

404.

If you finish your studies (at university), I will teach you all [that you need].
　　S　V　　O　　　　　　　　　　　　　　　S　V　　　　IO　DO　O관·대

직독직해 네가 / 공부를 마친다면 / 대학에서 / 나는 / 가르칠 것이다 / 너에게 / 네가 필요한 모든 것을

해　　석 네가 대학에서 공부를 마친다면, 나는 너에게 네가 필요한 모든 것을 가르칠 것이다.

405.

Can I find out <*if* planning permission is required *before* I submit an application>?
　　S V　　　　　O S₁　　　　　　　　　V₁　　　　　　　S₂ V₂　　O₂

직독직해 제가 알 수 있을까요? / 건축 허가가 요구되는지 아닌지를 / 제가 신청서를 제출하기 전에

해　　석 제가 신청서를 제출하기 전에 건축 허가가 요구되는지 아닌지를 제가 알 수 있을까요?

406.

When you brainstorm, you do not think about <**whether** the idea is good or bad> or
　　　S₁　　V₁　　　　S　V　　　　　　　O₁　　S₂　　　V₂ SC₂

<**whether** your writing is correct>.
　　O₂　　　S₃　　　V₃ SC₃

직독직해 당신이 / 브레인스토밍을 할 때 / 당신은 / 생각하지 않는다 / 그 생각이 / 좋은 것인지 나쁜 것인지 / 혹은 당신이 적은 것이 / 옳은 것인지에 대해

해　　석 당신이 브레인스토밍을 할 때, 당신은 그 생각이 좋은 것인지 나쁜 것인지 혹은 당신이 적은 것이 옳은 것인지에 대해 생각하지 않는다.

407.

Napoleon was (rarely), (*if* ever), deceived (in regard to a man's actual ability).
　S　　　V

* in regard to: ~에 관련하여

직독직해 Napoleon은 / 그런 적이 있다고 하더라도 좀처럼 속지 않았다 / 사람의 실제적인 능력에 관해서

해　　석 Napoleon은 사람의 실제적인 능력에 관해서 그런 적이 있다고 하더라도 좀처럼 속지 않았다.

408.

Few people, (*if* any), are (always) sustained (by unselfish motives), and few or none
S₁   V₁   S₂
are beyond their influence.
V₂   SC₂

직독직해 극히 적은 사람들이 / 있기는 있다고 하더라도 / 항상 지탱된다 / 이기적이지 않은 동기에 의해서 / 그리고 / 사람들은 거의 혹은 전혀 없다 / 그러한 동기의 영향을 넘어선

해석 있기는 있다고 하더라도 극히 적은 사람들이 이기적이지 않은 동기에 의해서 항상 지탱된다. 그리고 그러한 동기의 영향을 받지 않는 사람도 거의 혹은 전혀 없다.

409.

<**Whether** we receive (from society) blessing or cursing, a smile or a sneer, the warm
S   S   V   O₁   O₂   O₃
hand or the cold shoulder>, will (altogether) depend on our own attitude (with regard
V   O
to it).

* with regard to: ~에 대한

직독직해 우리가 사회로부터 축복을 받느냐 저주를 받느냐는 / 미소를 받느냐 조소를 받느냐는 / 따뜻한 손길을 받느냐 냉대를 받느냐는 / 전적으로 좌우될 것이다 / 우리 자신의 태도에 / 사회에 대한

해석 우리가 사회로부터 축복을 받느냐 저주를 받느냐, 미소를 받느냐 조소를 받느냐, 따뜻한 손길을 받느냐 냉대를 받느냐 하는 것은 사회에 대한 우리들 자신의 태도에 전적으로 좌우될 것이다.

410.

If you ask somebody <**if** their parents are living (in the area)> and they frown or back
S₁ V₁   IO₁   DO₁ S₂   V₂   S₃   V₃
off (slightly), their visual cues show <**that** you've (probably) touched a sensitive
S   V   O   S₄   V₄   O₄
subject area (for them)>.

직독직해 만약 당신이 누군가에게 묻는다면 / 그들의 부모가 그 지역에 살고 있는지를 / 그리고 그들이 얼굴을 찡그리거나 약간 뒤로 물러선다면 / 그들의 시각적인 단서는 / 보여준다 / 당신이 아마도 건드렸다는 것을 / 민감한 부분을 / 그들에게

해석 당신이 어떤 사람에게 그들의 부모가 그 지역에 사는지를 물었는데 그들이 얼굴을 찡그리거나 약간 뒤로 물러선다면 그들의 시각적인 단서는 당신이 아마도 그들의 민감한 부분을 건드렸다는 것을 보여준다.

411.

The executives should estimate their debt-to-income ratios (to see <**whether** they run
the risk of becoming insolvent>).

S — V — O — to부정사(목적) V₁ — O₁ — S₂ — V₂ — O₂

직독직해 경영자들은 / 추정해야만 한다 / 그들의 소득 대비 부채의 비율을 / 알아보기 위해 / 그들이 파산할 위험을 무릅쓰는지 아닌지를

해 석 경영자들은 그들이 파산할 위험을 무릅쓰는지 아닌지를 알아보기 위해 그들의 소득 대비 부채의 비율을 추정해야만 한다.

412.

The argument (about <**when** apes end and humans begin>) is paralleled (by
arguments) (about <**whether** various forms of early narrative should or shouldn't be
described as 'novels'>).

S — S₁ — V₁ — S₂ — V₂ — V — S₃ — V₃ — SC₃

직독직해 그 논쟁은 / 언제 유인원이 끝나고 인간이 시작되는지에 대한 / 유사하다 / 논쟁들과 / 다양한 형식의 초기 설화가 / 묘사되어야 할지 말아야 할지에 대한 / '소설'들로

해 석 언제 유인원이 끝나고 인간이 시작되는지에 대한 논쟁은 다양한 형식들의 초기 설화가 '소설'이라고 묘사되어야 할지 말아야 할지에 대한 논쟁들과 유사하다.

Chapter 03 부사절

Pattern 41 **as의 해석**

413.

As spring comes, the birds move (northward).
　　 S　　 V　　　 S　　　 V

직독직해 봄이 오면 / 새들은 / 북쪽으로 이동한다

해　석 봄이 오면 새들은 북쪽으로 이동한다.

414.

As we grow older, we come to know the limit of our ability.
　　 S　 V　 SC　　 S　 V　　　　　　　 O

직독직해 우리가 / 나이 들어감에 따라 / 우리는 / 알게 된다 / 우리 능력의 한계를

해　석 우리가 나이 들어감에 따라, 우리는 우리 능력의 한계를 알게 된다.

415.

"How well it would be," said Seneca, "**if** men would but exercise their brains **as** they
　O　 SC₁ S₁ V₁　　　 V　 S　　　 S₂　 V₂　　　　　　 O₂

do (exercise) their bodies, and (would) take as much pains (for virtue as they do (take
　　　　　　　　　　　　　　　　　 V₃　　　　　　 O₃

pains) for pleasure)."

직독직해 "얼마나 좋을까" / 세네카는 말했다 / "사람이 / 두뇌를 단련만 한다면 / 자기 몸을 단련하듯이 / 그리고 많은 고통을 취한다면 / 덕을 위해 / 쾌락을 얻기 위해 취하는 것만큼

해　석 "얼마나 좋을까", 세네카는 말했다. "사람이 자기 몸을 단련하듯이 두뇌를 단련만 한다면, 그리고 쾌락을 얻기 위해 취하는 것만큼 덕을 위해 많은 고통을 취한다면."

416.

Just as printing opened a new age, *so* has broadcasting made possible a new era of
international thinking and education.

직독직해 마치 인쇄술이 새 시대를 연 것처럼 / 그렇게 방송은 / 가능하도록 만들었다 / 국제적인 사고와 교육의 새 시대를

해 석 마치 인쇄술이 새 시대를 연 것처럼 그렇게 방송은 국제적인 사고와 교육의 새 시대가 가능하도록 만들었다.

417.

Just as the same body can be dressed (in different clothes), so the same thought can
be expressed (in different languages).

직독직해 똑같은 육체가 / 입혀질 수 있는 것처럼 / 다른 옷으로 / 똑같은 사상도 / 표현될 수 있다 / 다른 언어로

해 석 똑같은 육체가 다른 옷으로 입혀질 수 있는 것 처럼 똑같은 사상도 다른 언어로 표현될 수 있다.

418.

Just as ability [to understand the spoken word] is necessary *if* you are to comprehend
a play, you cannot fail to profit (by the knowledge of the words of opera).

직독직해 대사를 이해하는 능력이 / 필수적인 것과 마찬가지로 / 만약 당신이 연극을 이해하고자 한다면 / 이익을 얻지 않을 수 없다 / 오페라 용어에 대한 지식에 의해

해 석 만일 당신이 연극을 이해하고자 한다면 대사를 이해하는 능력이 필수적인 것과 마찬가지로, 당신은 오페라 용어에 대한 지식을 통해 이익을 얻지 않을 수 없다.

419.

Agriculture is responsible for providing food (for a growing population) and *as* it
becomes clear <**that** yields cannot continue to rise (without limit)>, the sustainability
of agricultural practices becomes an (increasingly) important question.

직독직해 농업은 / 책임이 있다 / 식량을 제공하는 것에 대한 / 늘어나는 인구에게 / 그리고 분명해지자 / 수확량이 한없이 계속 증가할 수 없다는 것이 / 농업 관행의 지속가능성이 / 점차 중요한 문제가 된다

해 석 농업은 늘어나는 인구에게 식량을 제공할 책임이 있고, 한계 없이 수확량이 계속 증가할 수 없다는 것이 분명해지자 농업 관행의 지속가능성이 점차 중요한 문제가 된다.

Chapter 03 부사절

Pattern 42 「as ~ as」 구문

420.

He ran (as fast as possible). = He ran (as fast as he could).
S V   S V

직독직해 그는 달렸다 / 가능한 빠르게

해 석 그는 가능한 빠르게 달렸다.

421.

He is as brave as any soldier in the world. = He is as brave a soldier as ever lived.
S V   SC   S V   SC

직독직해 그는 그렇게 용감하다 / 이 세상의 어느 군인만큼 = 그는 가장 용감한 군인이다 / 지금까지 살았던 군인 중에

해 석 그는 이 세상의 어느 군인만큼 그렇게 용감하다. = 그는 지금까지 살았던 군인 중에 가장 용감한 군인이다.

422.

He went (as far as Chicago).
S V

직독직해 그는 갔다 / 시카고까지 그렇게 멀리

해 석 그는 시카고까지 그렇게 멀리 갔다.

423.

As(So) far as I know, there was nobody [to be satisfied].
             S V   V   S

직독직해 내가 아는 한 / 아무도 없었다 / 만족한 사람은

해 석 내가 아는 한, 만족한 사람은 아무도 없었다.

424.

(Each year), as many as two hundred towns (in the United States) (just) disappear
                        S   V
(from the map) *as far as* the Postal Service is concerned.
                           S   V

직독직해 매년 / 미국에서 2백여 개의 마을들이 / 단지 지도에서 사라진다 / 우편 업무에 관한 한

해 석 매년, 미국에서 2백여 개의 마을들이 우편 업무에 관한 한 단지 지도에서 사라진다.

425.

His face was washed, and he was dressed (in a nice suit of clothes); and (then) he was
  S₁   V₁   S₂   V₂   S₃ V₃
as handsome a young man as (ever) walked (along the streets of London).
  SC₃

직독직해 그의 얼굴이 씻겨졌고 / 그는 입혀졌다 / 훌륭한 옷으로 / 그랬더니 그는 멋졌다 / 어느 젊은이 못지않게 / 지금까지 런던의 거리를 활보한 젊은이 중에

해 석 그의 얼굴이 씻겨졌고 훌륭한 옷이 입혀졌다. 그랬더니 그는 지금까지 런던의 거리를 활보한 어느 누구 못지않은 멋진 젊은이가 되었다.

426.

Setting up marine protected areas [to reduce impacts (generally) (on coral reefs)] (to
  S   V₁   O₁   to부정사(목적)
allow them to recover (as quickly as possible) (from unavoidable bleaching)) would
  V₂   O₂   OC₂   V
(likely) help.

직독직해 해양 보호 지역을 정하는 것은 / 영향을 줄이기 위한 / 일반적으로 산호초에 끼치는 / 산호초가 회복할 수 있도록 하기 위해서 / 가능한 한 빨리 / 불가피한 백화 현상으로부터 / 도움이 될 것 같다

해 석 산호초가 불가피한 백화 현상으로부터 가능한 한 빨리 회복할 수 있도록 일반적으로 산호초에 끼치는 영향을 줄이기 위한 해양 보호 지역을 정하는 것은 도움이 될 것 같다.

427.

One principle asserts <**that** social work clients have the right [to hold and express
  S   V   O   S₁   V₁   O₁
their own opinions and to act (on them)], **as long as** doing so does not infringe on the
                                                        S₂   V₂   O₂
rights of others>.

직독직해 한 가지 원칙은 / 주장한다 / 사회복지 수혜자들은 / 권리를 갖는다고 / 그들 자신의 의견을 유지하고 표현하며 그것에 따라 행동할 / 그렇게 하는 것이 / 침해하지 않는 한 / 다른 사람들의 권리를

해 석 한 가지 원칙은 사회복지 수혜자들이 다른 사람들의 권리를 침해하지 않는 한, 자신의 견해를 유지하고 표현하며 그것에 따라 행동할 권리를 가지고 있다는 것이다.

428.

Tales of frustration abound and serve (as a reminder <**that** observation of brief
  S   V₁   V₂   (동격) S₁
astronomical phenomena, **no matter how** predictable (it is), can (often) depend on
                                           SC₂   {생략} V₁
luck (as much as anything)>).
  O₁

직독직해 좌절에 대한 이야기는 / 많이 있고 / 역할을 한다 / 상기시키는 것으로서 / 잠깐 동안의 천문학적 현상의 관찰은 / 아무리 예측 가능하다고 해도 / 종종 좌우될 수 있다는 것을 / 운에 의해 / 다른 어떤 것만큼이나

해 석 좌절을 겪은 이야기가 많이 있으며 그 이야기들은 잠깐 동안의 천문학적 현상을 관찰하는 것은 그것이 아무리 예측 가능하다고 해도 다른 어떤 것만큼이나 운에 종종 좌우될 수 있다는 것을 상기시켜 준다.

Pattern 43
but의 해석

429.

All but he are present.
$\underset{S}{}$ $\underset{V}{}$ $\underset{SC}{}$

직독직해 그를 제외한 모두가 / 참석하였다.

해 석 그를 제외한 모두가 참석하였다.

430.

He is all but dead.
$\underset{S}{}$ $\underset{V}{}$ $\underset{SC}{}$

직독직해 그는 / 초주검이 되었다.

해 석 그는 초주검이 되었다.

431.

He will do anything but the work.
$\underset{S}{}$ $\underset{V}{}$ $\underset{O}{}$

직독직해 그는 / 할 것이다 / 그 일을 제외한 모든 일을

해 석 그는 그 일을 제외한 모든 일을 할 것이다. (→ 그는 결코 그 일을 안 할 것이다.)

432.

He is anything but a poet.
$\underset{S}{}$ $\underset{V}{}$ $\underset{SC}{}$

직독직해 그는 / 시인을 제외한 어떤 것도 / 된다.

해 석 그는 시인을 제외한 어떤 것도 된다. (→ 그는 결코 시인이 아니다.)

433.

When you feel compelled to deal with other people's issues, your goal of becoming
 S   V   SC   S
more peaceful becomes all but impossible.
              V   SC

직독직해 당신이 / 강요받는다고 느낄 때 / 다른 사람들의 문제를 다루도록 / 좀 더 평온해지려는 당신의 목표는 / 거의 불가능해진다

해　석 당신이 다른 사람들의 문제를 다루도록 강요받는다고 느낄 때, 좀 더 평온해지려는 당신의 목표는 거의 불가능해진다.

434.

All (but two of her employees) work (full-time), and receive benefits (including health
 S   V₁   V₂   O₂
insurance).

직독직해 모두 / 그녀의 직원들 중 두 명을 제외하고는 / 일하고 있고 / 정규직으로 / 혜택을 받고 있다 / 의료보험을 포함한

해　석 두 명을 제외하고 그녀의 직원들은 모두 정규직으로 일하고 있으며, 의료보험을 비롯한 복지 혜택을 받고 있다.

435.

Thai officials have (all but) stopped issuing licenses (for tuk tuk taxis) (because of
 S   V   O
pollution worries and a poor accident record).

직독직해 태국 당국은 / 거의 중단시켰다 / 면허를 발급하는 것을 / 뚝뚝이 택시를 위한 / 공해에 대한 걱정과 높은 사고율 때문에

해　석 태국 당국은 공해에 대한 걱정과 높은 사고율을 이유로 뚝뚝이 택시 면허 발급을 거의 중단시켰다.

436.

I know, **_as_** does the Minister, <**that** we can be (anything but) certain <**that** there will not
S V   V₁   S₁   O   S₂ V₂   O₂   V₃
be further successful terrorist incidents>>.
          S₃

직독직해 나는 알고 있다 / 장관이 그런 것처럼 / 우리는 결코 확신할 수 없다는 것을 / 더 이상 성공적인 테러 사건이 없을 것이라고

해　석 나는 장관이 그런 것처럼, 더 이상 성공적인 테러 사건이 없을 것이라고 확신할 수 없다는 것을 알고 있다.

437.

(From the rising of the sun) nothing was (in sight) (but a waste of waters (on the left),
 　　　　　　　　　　　　　　S　　　V
a desert plain (on the right), and the rugged heights of Carmel [(which were) dim (in
 　　　　　　　　　　　　　　　　　　　　　　　　　　　　　　　　　(S관·대 + be동사 생략)
the distance)]).

직독직해 태양이 뜰 때부터 / 아무것도 없었다 / 시야 안에 / 왼쪽의 황량한 바다와 / 오른쪽의 불모의 평원과 / 바위투성이의 카르멜 산을 제외하고는 / 멀리서 희미하게 보이는

해　석 태양이 뜰 때부터 왼쪽의 망망대해와, 오른쪽의 불모의 평원과, 멀리서 희미하게 보이는 바위투성이의 카르멜 산을 제외하고는 아무것도 보이지 않았다.

438.

If you're warming up (for a typical relaxed five-mile run), you don't have to do
 　　S　　V　　　　　　　　　　　　　　　　　　　　　　S　　V₁
(anything but) start (slowly), or start (with a minute or two of walking) (before
 　　　　　　　V₁　　　　　　　　V₂
breaking into a run).

직독직해 만약 당신이 준비운동을 하고 있다면 / 일반적인 느긋한 5마일 달리기를 위해 / 당신은 천천히 출발하기만 하면 된다 / 또는 1, 2분 정도의 걷기로 시작하기만 하면 된다 / 달리기 전에

해　석 일반적인 느긋한 5마일 달리기를 위해 준비운동을 하고 있다면, 천천히 출발하거나 혹은 달리기 전에 1, 2분가량 걷기만 하면 된다.

439.

(In the twenty-four oil paintings and twelve etchings) [(that) Rembrandt did (of
 　　　　　　　　　　　　　　　　　　　　　　　　　　　　　(O관·대 생략) S₁　　V₁
himself)], all (but one) show him (with his right eye looking straight ahead and his
 　　　　　　S　　　　　V　　O　　　　전O₂　　　　　전OC₂　　　　　　　　전O₃
left eye looking outwards).
 　　　　전OC₃

직독직해 24점의 유화와 12점의 판화에서 / 렘브란트가 작업한 / 자신에 대해 / 모두 / 한 작품을 제외하고는 / 보여 준다 / 그의 모습을 / 오른쪽 눈이 / 앞쪽을 똑바로 쳐다보고 있고 / 왼쪽 눈이 / 바깥쪽을 쳐다보고 있는

해　석 렘브란트가 자신을 그린 24점의 유화와 12점의 판화에서 한 점을 제외하고 모두가 오른쪽 눈은 앞쪽을 똑바로 쳐다보고 왼쪽 눈은 바깥쪽을 쳐다보고 있는 그의 모습을 보여 주고 있다.

상관 접속사

440.

The secret lies (not in finding smart ways [to do more], but in <**how** we manage the
relationship (between the things [(that) we have to do] and the time available [to do
them in])>).
(O관·대 생략)

직독직해 비결은 있다 / 현명한 방법을 찾는 데가 아니라 / 더 많은 일을 할 / 어떻게 우리가 관리하느냐에 / 관계를 / 해야만 하는 일과 / 그것들을 할 수 있는 시간 사이의

해 석 더 많은 일을 할 현명한 방법을 찾는 데가 아니라, 해야만 하는 일과 그것들을 할 수 있는 시간 사이의 관계를 어떻게 우리가 관리하느냐에 비결이 있다.

441.

(Upon closer analysis), "emerging" countries are not only vastly different (from one
another); they are also composed of numerous unique individuals and communities.

직독직해 좀 더 상세히 분석을 해보면 / "신흥" 국가들은 / 서로 대단히 다를 뿐 아니라 / 그들은 / 또한 구성되어 있다 / 수많은 독특한 개인들과 공동체들로

해 석 좀 더 상세히 분석을 해보면, "신흥" 국가들은 서로 대단히 다를 뿐 아니라 또한 그들은 수많은 독특한 개인들과 공동체들로 구성되어 있다.

442.

The function of the historian is neither to love the past nor to emancipate himself (from the
past), but to master and understand it (as the key) (to the understanding of the present).

직독직해 역사학자의 역할은 / 과거를 사랑하는 것도 아니고 / 그 자신을 과거로부터 해방시키는 것도 아니라 / 그것을 이해하고 숙달하는 것이다 / 비결로서 / 현재를 이해하는 것에 대한

해 석 역사학자의 역할은 과거를 사랑하는 것도 아니고 그 자신을 과거로부터 해방시키는 것도 아니며, 현재를 이해하는 비결로서 역사를 이해하고 숙달하는 것이다.

부사절

443.

Men are more likely to view the community (in terms of production), ***whereas*** women
see it, not only as a place [where people can earn their livelihood], but also as a place
[where all can attain and enjoy the good life].

직독직해 남성들은 / 보는 경향이 더 많다 / 사회를 / 생산이라는 관점에서 / 반면에 / 여성들은 / 이것을 본다 / 장소로서뿐만 아니라 / 사람들이 / 그들의 생계비를 벌 수 있는 / 장소로서 / 모든 사람들이 훌륭한 삶을 얻을 수 있고 즐길 수 있는

해 석 남성들은 사회를 생산이라는 관점에서 보는 경향이 더 많은 데 비해, 여성들은 사람들이 생계를 꾸려나갈 수 있는 장소로뿐만 아니라, 모든 사람들이 훌륭한 삶을 얻고 즐길 수 있는 장소로 본다.

444.

Optimist (here) means not that person [(who) an American writer (once) defined as
"a proponent of the doctrine <that black is white>"] but someone [who can let his or
her eyes sweep the world and (can) come to rest (with a mote of hope) (in the haze of
sorrow)].

직독직해 낙관론자는 / 여기서 / 의미하지 않는다 / 그런 사람을 / 미국인 작가가 / 이전에 정의했던 / "신조를 지지하는 사람으로 / 검은 것이 희다는" / 그러나 사람을 의미한다 / 그들의 눈이 / 세상을 휙 둘러보도록 둘 수 있고 / 평온을 찾을 수 있는 / 일말의 희망과 함께 / 슬픔 속에서도

해 석 여기서 낙관론자란 한 미국인 작가가 이전에 "검은 것을 희다고 하는 신조를 지지하는 사람"으로 정의했던 그런 사람을 의미하는 것이 아니라, 자신의 시선으로 세상을 휙 둘러보고 슬픔 속에서도 일말의 희망으로 평온을 찾을 수 있는 사람을 의미한다.

「not ~ until」 구문

445.

He did not turn up *until* the Sunday service was held.
S₂ V₂   S₁   V₁

= It was not *until* the Sunday service was held that he turned up.
  It ~ that 강조 구문   S₁   V₁   S₂ V₂

= Not *until* the Sunday service was held did he turn up.
          S₁   V₁   V₂ S₂ V₂

직독직해 일요일 예배가 시작되고서야 비로소 / 그가 나타났다.

해 석 일요일 예배가 시작되고서야 비로소 그가 나타났다.

446.

We had not waited (half an hour) *before* the fog began to clear up and a strange scene
S₁ V₂   S₂   V₂   S₃

presented itself.
V₃   O₃

직독직해 우리들은 / 30분도 기다리지 않았다 / 안개가 걷히기 시작하기 전에 / 그리고 낯선 경치가 나타나기 전에

해 석 우리들은 안개가 걷히기 시작하기 전에, 그리고 낯선 경치가 나타나기 전에 30분도 기다리지 않았다.
[30분도 기다리지 않아, 안개가 걷히기 시작했고 낯선 경치가 나타났다.]

447.

It ~ that 강조 구문
It was not (until 1962) **that** the first communications satellite, Telstar, went up.
                              S   (동격)   V

직독직해 1962년이 되어서야 비로소 / 최초의 통신 위성인 Telstar호가 / 발사되었다

해 석 1962년이 되어서야 비로소 최초의 통신 위성인 Telstar호가 발사되었다.

448.

Not *until* his life was over were his works appreciated (by people) (in general) and
          S   V   V₁ S₁   V₂

purchased (at high prices).
V₂

직독직해 그의 삶이 끝나고 나서야 비로소 / 그의 작품들은 / 인정받았고 / 일반 사람들에 의해 / 고가로 구매 되었다

해 석 그의 삶이 끝나고 나서야 비로소 그의 작품이 일반 사람들에 의해서 인정받았고, 고가로 구매되었다.

449.

It ~ that 강조 구문
It was not ***until*** the shadow of the forest had crept (far) (across the lake) and the
$\qquad$ S1 $\qquad$ V1 $\qquad$ S2

darkening waters were still **that** we rose (reluctantly) (to put dishes (in the basket))
$\qquad$ V2 SC2 S V1 $\qquad$ to부정사(결과)

and started on our homeward journey.
$\qquad$ V2 O2

직독직해 숲의 그림자가 / 기어들고 / 멀리 호수를 가로질러 / 그리고 어두워지는 물이 / 고요해지고 나서야 비로소 / 우리는 마지못해 일어났다 / 그릇들을 바구니에 집어넣고 / 시작했다 / 집을 향한 우리의 여정을

해   석 숲의 그림자가 멀리 호수를 가로질러 기어들고 어두워지는 물이 잠잠해지고 나서야 비로소 우리는 마지못해 일어나서 그릇들을 바구니에 넣고 집으로 길을 떠났다.

450.

Although the date has (long) been celebrated (as a day) (for exchanging love
$\qquad$ S1 V1

messages), **it** was not (until the 18th century) **that** it became commercialized, (with
$\qquad$ It ~ that 강조 구문 S V SC

cards, chocolates, and small gifts exchanged (between people [who bear each other
$\qquad$ 전O2 $\qquad$ 전OC2 $\qquad$ S관·대 V3 IO3

either strong friendship or affection])).
$\qquad$ DO3

직독직해 비록 그날이 / 오래 기념되었지만 / 날로서 / 사랑의 메시지를 주고받기 위한 / 18세기가 되어서야 비로소 / 이것은 상업화되었다 / 카드, 초콜릿, 간단한 선물 교환과 함께 / 사람들 사이에서 / 서로 깊은 우정이나 사랑을 지닌

해   석 비록 그날이 사랑의 메시지를 주고받는 날로서 오래 기념되었지만, 서로 깊은 우정이나 사랑을 느끼는 사람들끼리 카드와 초콜릿, 그리고 간단한 선물을 주고받는 날로서 상업화된 것은 18세기 무렵부터이다.

시간·조건의 부사절

451.

No sooner had I finished an elaborate car washing than the rain began to fall.
　　　　　 V　 S V　　　　　　O　　　　　　　　 S　　　 V

직독직해 내가 막 끝내자마자 / 공들인 세차를 / 비가 / 내리기 시작했다

해　석 내가 공들인 세차를 막 끝내자마자 비가 내리기 시작했다.

452.

I will forgive you, *if only* you apologize (to me) (in a polite manner).
S V　　　　O　　　　　　 S　　 V

직독직해 나는 / 용서해주겠다 / 너를 / 만약 네가 / 나에게 사과하기만 한다면 / 예의 바르게

해　석 만약 네가 예의 바르게 나에게 사과하기만 한다면 나는 너를 용서해주겠다.

453.

Once there is a threat (to its supply), (however), water can (quickly) become the only
　　 V　　 S　　　　　　　　　　　　　　　 S　 V　　　　　　　 SC
thing [that matters].
　　　 S관·대

직독직해 그러나, 일단 위협이 있다면 / 물의 공급에 / 물은 갑작스레 될 수 있다 / 중요한 유일한 것이

해　석 그러나, 일단 물의 공급에 위협이 있다면 물은 갑작스레 중요한 유일한 것이 될 수 있다.

454.

(Given the destructive results), do these beliefs make sense?
　　　　　　　　　　　　　　 V　 S

직독직해 파괴적인 결과를 생각해보면 / 이러한 신념이 과연 타당한 걸까?

해　석 파괴적인 결과를 생각해보면, 이러한 신념이 과연 타당한 걸까?

455.

Books can be renewed (once) (for the original loan period) *unless* they are on reserve.
S　　 V　　　　　　　　　　　　　　　　　　　　　　　　　 S　 V　 SC

직독직해 책은 / 갱신될 수 있다 / 한 번 / 처음 대출 기간 동안 / 만약 책들이 예약이 되어있지 않다면

해　석 만약 책들이 예약이 되어있지 않다면 처음 대여 기간 동안 한 번 갱신을 할 수 있다.

456.

(Given this situation), these people have striven to conserve the wild plants [growing
                      S   V   O

(in Korea)].

직독직해 이러한 상황이 주어지자 / 이러한 사람들은 / 보존하기 위해 애써 왔다 / 야생 식물들을 / 자라는 / 한국에서

해　석 이런 상황이 되자 이러한 사람들은 한국에서 자라고 있는 야생 식물들을 보존하기 위해 애써 왔다.

457.

No matter what road is chosen, the travelers [who started (from different valleys)]
              S₁   V₁   S   S관·대 V₂

will (all) meet (on the top of the mountain), *provided* they keep on ascending.
V   S₃   V₃

직독직해 선택한 길이 무엇이든 간에 / 등산객들은 / 다른 계곡에서 출발했던 / 모두 만날 것이다 / 산 정상에서 / 만약 그들이 계속한다면 / 오르는 것을

해　석 각각 다른 계곡에서 출발한 등산객들이 어떤 길을 택한다 해도 계속 오르기만 한다면 모두 산 정상에서 만나게 될 것이다.

458.

(Given the general knowledge of the health risks of smoking), it is no wonder <that
                                                 가S V SC   진S

the majority of smokers have tried (at some time) (in their lives) to quit>.
S   V   O

직독직해 흡연의 건강상 위험에 대한 일반적인 지식을 고려해 볼 때 / 놀라운 일이 아니다 / 흡연자의 대부분이 / 노력해 보았다는 것은 / 언젠가 / 그들의 인생에서 / 끊는 것을

해　석 흡연의 건강상 위험에 대한 일반적인 지식을 고려해 볼 때, 대부분의 흡연자들이 그들 인생의 한 시점에서 금연을 노력해 보았다는 것은 놀라운 일이 아니다.

459.

The rapidity of the increase of scientific knowledge, (in the nineteenth and twentieth
S

centuries), is apt to give students and teachers the impression <that no sooner is a
           V   IO   DO   (동격)   V₁ S₁

problem stated than the answer is forthcoming>.
       V₁   S₂   V₂ SC₂

직독직해 과학적 지식의 증가 속도는 / 19세기와 20세기의 / 주기 쉽다 / 학생들과 교사들에게 / 인상을 / 문제가 제시되자마자 / 정답이 뒤따라 나온다는

해　석 19세기와 20세기의 과학 지식의 증가 속도는 어떤 한 문제가 제시되자마자 그 답이 즉시 뒤따라 나온다는 인상을 학생들과 교사들에게 주기 쉽다.

목적·결과의 부사절

460.

He spoke (so rapidly) *that* we could not (clearly) understand him.
S　V　　　　　　　　　S　V　　　　　　　　　　　　　O

직독직해 그는 이야기해서 / 너무 빠르게 / 우리는 / 분명하게 이해할 수 없었다 / 그가 하는 말을

해　석 그는 너무 빠르게 이야기해서 우리는 그가 하는 말을 분명하게 이해할 수 없었다.

461.

All [(which) I ask (in return)] is <**that** you take good enough care of yourself *so that*
S　(O관·대 생략) S₁ V₁　　　　　　V　SC　S₂　V₂　　　　　　　　　　O₂
(someday) you can do the same thing (for someone else)>.
　　　　　S₃　V₃　　O₃

직독직해 보답으로 내가 바라는 전부는 / 이다 / 당신이 자신을 충분히 잘 돌보는 것 / 그래서 언젠가 당신이 / 할 수 있도록 / 같은 일을 / 다른 사람에게

해　석 보답으로 내가 바라는 전부는, 당신이 자신을 충분히 잘 돌봐서 언젠가 당신이 같은 일을 다른 사람에게 할 수 있도록 되는 것이다.

462.

We (often) hear <**that** it is one thing to hear, and it is another (thing) to see>. So we
S　　　　V　　O　가S₁ V₁ SC₁　　　진S₁　　　　가S₂ V₂ SC₂　　　진S₂　　　S
must be very careful *lest* we should believe (lightly) <**what** other people say>.
V　SC　　　　　　　S　V　　　　　　　　O

직독직해 우리는 / 종종 듣는다 / 듣는 것과 보는 것은 별개의 것이라는 것을 // 그래서 우리는 / 매우 신중해야 한다 / 우리가 / 가볍게 믿지 않도록 / 남이 하는 말을

해　석 우리는 종종 듣는 것과 보는 것은 별개의 것이라는 것을 듣는다. 그래서 우리는 우리가 남이 하는 말을 가볍게 믿지 않도록 매우 신중해야 한다.

463.

Parents of vocational high school students (even) press schools to add more general
S   V   O   OC V₁ O₁

subjects (to their curricula) *so that* their children may have some hope of getting into
                                         S₂   V₂   O₂

college.

직독직해 실업계 고등학교 학생들의 부모들은 / 심지어 / 압박한다 / 학교가 / 추가하도록 / 더 많은 일반 교과를 / 그들의 교육과정에 / 그리하여 / 그들의 아이
들이 / 가질 수 있도록 / 대학에 들어갈 희망을

해 석 실업계 고등학교 학생들의 부모들은 심지어 그들의 아이들이 대학에 들어갈 희망을 가질 수 있도록 교육과정에 일반 교과를 더 많이 추가하도록 학교
를 압박한다.

464.

I have played Wizard (for so many years) *that* I may as well continue the part (a little
S V   O   S V   O

longer).

직독직해 나는 / 역할을 해왔다 / 마법사의 / 아주 오랫동안 / 그래서 나는 계속하는 게 좋겠다 / 그 역할을 / 좀 더

해 석 아주 오랫동안 마법사 노릇을 해 왔으니 좀 더 계속하는 게 좋겠다.

이유·양보의 부사절

465.

Seeing that you lied (to me), I can't trust you (any longer).
S V S V O

직독직해 네가 / 거짓말을 했기 때문에 / 나에게 / 나는 / 믿을 수가 없다 / 더 이상 너를

해 석 네가 나에게 거짓말을 했기 때문에 나는 더 이상 너를 믿을 수가 없다.

466.

What with fatigue and ***what with*** hunger, the old man fell down.
S V

직독직해 피로와 배고픔으로 인하여, / 그 노인은 / 쓰러졌다

해 석 피로와 배고픔으로 인하여, 그 노인은 쓰러졌다.

467.

Although the new features had looked attractive (separately), the entire assembly
S₁ V₁ SC₁ S
shocked him, ***for*** he found <**that** he had been changed (into an ugly camel)>.
V O S₂ V₂ S₃ V₃

직독직해 비록 그 새로운 특징들이 / 매력적으로 보였지만 / 개별적으로는 / 전체를 모아놓은 것은 / 그를 놀라게 했다 / 왜냐하면 그는 알았기 때문이다 / 그가 변했다는 것을 / 못생긴 낙타로

해 석 비록 그 새로운 특징들이 개별적으로는 매력적으로 보였지만, 전체를 모아놓은 것은 그를 놀라게 했는데, 왜냐하면 그는 그가 못생긴 낙타로 변했다는 것을 알았기 때문이다.

468.

Now that the court is dry, we can play tennis.
S V SC S V O

직독직해 코트가 말랐으니까 / 우리는 테니스를 칠 수 있다

해 석 코트가 말랐으니까 우리는 테니스를 칠 수 있어.

469.

I have had the opportunity [to look them over], and I feel <**that** they show considerable
S₁ V₁ O₁ S₂ V₂ O₂ S V O
promise, (despite your youth and lack of experience) (in this genre)>.

직독직해 나는 기회를 가졌다 / 그것들을 살펴볼 / 그리고 나는 느낀다 / 그것들은 상당한 가능성을 보여 준다는 것을 / 당신의 젊음과 경험의 부족에도 불구하고 / 이 장르에서

해 석 제가 그것들을 살펴볼 기회를 가졌는데, 저는 귀하의 젊은 나이와 이 장르에서의 경험의 부족에도 불구하고 그것들이 상당한 가능성을 보여 준다고 느끼고 있습니다.

PART 07

나머지
세상의 모든 구문

최소시간 X 최대효과 = 초고효율 심우철 합격영어

Pattern 49 삽입

470.

Ignoring his advice, I wasted my time and continued to paint <**what** (I thought) was
    S V₁   O₁   V₂   O₂
popular>.

직독직해 그의 충고를 무시했다 / 〈그런〉 나는 / 시간을 낭비를 하였고 / 계속 그렸다 / 내 생각에 인기 있는 것을

해 석 그의 충고를 무시한 나는 시간을 낭비하였고 내 생각에 인기 있는 것을 계속 그렸다.

471.

Spiders, (though not generally popular), are true friends of man, and some scientists
S₁   V₁ SC₁   S₂
believe <**that** human life could not exist (without them)>.
V₂   O₂   S   V

직독직해 거미는 / 일반적으로는 인기가 있는 것은 아니지만 / 인간의 진실한 벗이고 / 어떤 과학자들은 믿는다 / 인간의 삶이 존재할 수 없다고 / 거미가 없으면

해 석 거미는 일반적으로는 인기가 있는 것은 아니지만 인간의 진실한 벗이고, 어떤 과학자들은 거미가 없으면 인간의 삶이 존재할 수 없다고 믿는다.

472.

His opinion, (it seems (to me)), is not worth considering.
S   S V   V

* be worth RVing: ~할 가치가 있다

직독직해 그의 견해는 / 내가 보기에 / 고려할 만한 가치가 없다

해 석 내가 보기에 그의 견해는 고려할 만한 가치가 없다.

473.

The man [who (I thought) was his father] proved to be a perfect stranger.
S   S관·대 S₂V₂   V₁ SC₁   V   SC

직독직해 그 남자는 / 내가 생각했던 / 그의 아버지였다고 / 증명됐다 / 전혀 모르는 사람이라고

해 석 내가 그의 아버지라고 생각했던 그 남자는 전혀 모르는 사람임이 증명됐다.

474.

Disharmony enters our relationships ***when*** we try to impose our values (on others) (by
wanting them to live (by <**what** (we feel) is "right," "fair," "good," "bad," and so
on>)).

직독직해 불화는 / 들어온다 / 우리 관계에 / 우리가 강요하려 할 때 / 우리의 가치를 / 다른 사람들에게 / 그들이 살기를 바라면서 / 우리가 느끼기에 "옳고",
"공평하고", "좋고", "나쁜" 것 등에 의해

해　석 우리가 느끼기에 "옳다", "공평하다", "좋다", "나쁘다"는 것 등에 의해 다른 사람들이 살기를 바라면서 그들에게 우리의 가치를 강요하려고 할 때 불
화가 우리의 관계 속으로 들어온다.

475.

We (often) hear stories of ordinary people [who, ***if*** education had focused on
creativity, could have become great artists or scientists].

직독직해 우리는 종종 듣는다 / 평범한 사람들의 이야기를 / 만약 교육이 초점을 두었다면 / 창의성에 / 위대한 예술가나 과학자가 될 수 있었던

해　석 우리는 만약 교육이 창의성에 초점을 두었더라면 위대한 예술가나 과학자가 될 수 있었을 평범한 사람들의 이야기를 종종 듣는다.

476.

When we are employed in reading a great and good author, we ought to consider
ourselves as searching after treasures, [which, ***if*** (well and regularly) laid up in the
mind, will be of use (to us) (on various occasions) (in our lives)].

* be employed in RVing: ~하는 데 시간을 쓰다

직독직해 우리가 읽는 것에 시간을 쓸 때 / 위대하고 훌륭한 작가의 작품을 / 우리는 / 생각해야 한다 / 우리 스스로를 / 보물을 찾고 있다고 / 그것은 / 만약 잘
그리고 정기적으로 정리해 두면 / 마음속에 / 쓸모가 있을 것이다 / 우리에게 / 여러 가지 경우에 / 일생 동안

해　석 우리가 어느 위대하고 훌륭한 작가의 작품을 읽을 때에는 보물을 찾고 있는 것이라고 생각해야 한다. 그리고 이 보물들을 마음속에 정기적으로 그리고
잘 정리해두면 일생 동안 여러 가지 경우에 쓸모가 있을 것이다.

Pattern 50 | **비교급·원급 해석**

477.

This may mean going to bed (an hour earlier), but having an extra hour (in the morning)
S₁ V₁ O₁ S₂
is so much more productive than staying up (an hour later) (at the end of the day).
V₂ SC₂ 비교대상

직독직해 이것은 / 아마 의미한다 / 한 시간 일찍 잠자리에 드는 것을 / 그러나 아침에 여유 있는 1시간을 더 가지는 것은 / 훨씬 더 생산적이다 / 1시간 더 깨어
있는 것보다 / 밤에

해 석 이것은 아마 한 시간 일찍 잠자리에 드는 것을 의미할 것이다. 그러나 아침에 여유 있는 1시간을 더 가지는 것은 밤에 1시간 더 깨어있는 것보다 훨씬
더 생산적이다.

478.

(According to the study), violence and property crimes were nearly twice as high (in
S V SC
sections of the buildings [where vegetation was low], compared with the sections
관.부 S₁ V₁ SC₁ 비교대상
[where vegetation was high]).
관.부 S₂ V₂ SC₂

직독직해 그 연구에 따르면 / 폭력과 재산 범죄는 / 거의 두 배나 더 많았다 / 건물들의 구역에서 / 〈그런데 그 구역에〉 식물이 적게 있었다 / 구역과 비교되었을
때 / 〈그런데 그 구역에〉 식물이 많이 있었다

해 석 그 연구에 따르면 폭력과 재산 범죄는 식물이 많이 있었던 구역과 비교되었을 때 식물이 적게 있었던 건물들의 구역에서 거의 두 배나 더 많았다.

479.

People seem to be more motivated (by the thought of losing something) than (by the
S V SC 비교대상
thought of gaining something of equal value).

직독직해 사람들은 / 좀 더 동기부여를 받는 것 같다 / 무언가를 잃는다는 생각에 의해서 / 동등한 가치의 무언가를 얻는다는 생각에 의해서보다

해 석 사람들은 동등한 가치의 무언가를 얻는다는 생각보다 무언가를 잃는다는 생각에 의해서 좀 더 동기부여를 받는 것 같다.

480.

Comparing the remembered carefree past (with his immediate problems), the mature man thinks <**that** troubles belong (only) to the present>.

직독직해 비교하면서 / 걱정이 없었던 것으로 기억되는 과거를 / 그가 당면한 문제와 / 성숙한 사람은 / 생각한다 / 괴로운 일들은 단지 속한다고 / 현재에만

해석 걱정이 없었던 것으로 기억되는 과거와 그가 당면한 문제점들을 비교하면서, 그 성숙한 사람은 괴로운 일들이 단지 현재에만 속한다고 생각한다.

481.

Researchers studied men [who have experienced low level inflammation of the arteries (for several years)], and found them to be three times as likely to suffer heart attack and twice as likely to have strokes as normal men.

직독직해 연구진은 / 연구했다 / 사람들을 / 동맥의 가벼운 정도의 염증을 경험해 왔던 / 수년 동안 / 그리고 / 발견했다 / 그들이 / 심장마비를 일으킬 확률이 3배이고 / 그리고 뇌졸중을 일으킬 확률이 2배라는 것을 / 정상인보다

해석 연구진은 수년 동안 동맥에 가벼운 정도의 염증이 있었던 환자들을 연구한 결과, 이들이 정상인보다 심장마비를 일으킬 확률은 3배, 뇌졸중을 일으킬 확률은 2배나 된다는 사실을 발견했다.

482.

(In this vein), physicians' advice (to smokers), [describing the number of years [to be gained **if** they do quit]], might be (somewhat) ineffective **as** compared with advice [describing the number of years of life [to be lost **if** they do not quit]].

직독직해 같은 맥락에서 / 내과 의사의 충고는 / 흡연자에 대한 / 연수를 묘사하는 / 얻을 수 있는 / 만약 그들이 담배를 끊는다면 / 다소 비효과적일지도 모른다 / 충고와 비교해서 / 생명 연수를 묘사하는 / 잃게 되는 / 만약 그들이 담배를 끊지 않는다면

해석 같은 맥락에서, 금연 시 얻을 수 있는 수명의 연수를 묘사하는 흡연자에 대한 내과 의사의 충고는 금연을 하지 않는다면 잃어버릴 수명의 연수를 묘사하는 충고에 비해 다소 비효과적일지도 모른다.

483.

A study showed <**that** *if* schoolchildren eat fruit, eggs, bread and milk (before going
to school), they will learn (more quickly) and (will) be able to concentrate on their
lessons (for a longer period of time) than *if* their breakfast is poor>.

직독직해 한 연구는 / 보여 줬다 / 만약 학생들이 과일, 달걀, 빵과 우유를 먹는다면 / 학교 가기 전에 / 그들은 배울 것이고 / 더 빨리 / 집중할 수 있을 것이다 /
그들의 수업에 / 좀 더 오랜 시간 동안 / 아침 식사가 부실할 때보다

해　석 한 연구에서 아이들이 학교 가기 전에 과일과 달걀, 빵과 우유를 먹는다면 아침 식사가 부실할 때보다 더 빨리 배우고 더 오랜 시간 수업에 집중할 수
있다고 밝혔다.

484.

(Over the past few years) I have (consistently) preached <**that** nonviolence demands
<**that** the means [(that) we use] must be as pure as the ends [(that) we seek]>>.

직독직해 지난 몇 년 동안 / 나는 일관되게 설파해왔다 / 비폭력은 / 요구한다고 / 수단은 / 우리가 사용하는 / 순수해야 한다 / 목적만큼이나 / 우리가 추구하는

해　석 지난 몇 년 동안 나는 일관되게 비폭력은 우리가 사용하는 수단이 우리가 추구하는 목적만큼이나 순수해야 한다는 것을 요구한다고 설파해왔다.

485.

Some readers underline the page *as* they read, but I find <**that** a page [which I have
underlined] cannot give me so many fresh impressions as one [which has no marks (on
it)]>.

직독직해 몇몇 독자들은 / 밑줄을 긋는다 / 페이지에 / 그들이 읽으면서 / 그러나 나는 / 발견한다 / 페이지는 / 내가 밑줄을 그은 / 주지 못한다 / 나에게 / 많은
신선한 인상들을 / 페이지만큼 / 아무런 표시도 없는 / 그 위에

해　석 책을 읽으면서 페이지에다 밑줄을 긋는 독자가 있으나, 나는 내가 밑줄을 그은 페이지는 그 위에 아무런 표시도 없는 페이지만큼 많은 신선한 인상을
주지 못한다는 것을 발견한다.

486.

The more globalized the world becomes (in the 21st century), the more important
<u>SC</u>   <u>S</u>   <u>V</u>   <u>SC</u>

English will be.
<u>S</u>   <u>V</u>

직독직해 세상이 / 점점 더 세계화가 됨에 따라 / 21세기에 / 더욱 중요해질 것이다 / 영어는

해　석 21세기에 세상이 점점 더 세계화가 됨에 따라 영어는 더욱 중요해질 것이다.

487.

The more contact a group has (with another group), the more likely it is <**that** objects
<u>O</u>   <u>S</u>   <u>V</u>   <u>SC</u>   가S V 진S S₁

or ideas will be exchanged>.
        <u>V₁</u>

직독직해 더 많은 접촉을 어떤 집단이 가질수록 / 다른 집단과 / 더 가능성이 있다 / 사물이나 사상이 교환될

해　석 어떤 집단이 다른 집단과 더 많은 접촉을 가질수록 사물이나 사상이 교환될 가능성이 더 있다.

488.

The stronger the vibration of the sound (is), the greater the pressure difference (between
<u>SC</u>   <u>S</u>   <u>V</u> <u>SC₁</u>   <u>S₁</u>

the high and the low) (is), and the louder the sound (is).
                 <u>V₁</u>   <u>SC₂</u>   <u>S₂</u>   <u>V₂</u>

직독직해 더 강하면 강할수록 / 소리의 진동이 / 더 커진다 / 압력의 차이가 / 높고 낮은 것 사이의 / 그리고 더욱 커진다 / 소리도

해　석 소리의 진동이 더 강하면 강할수록 높고 낮은 것 사이의 압력의 차이가 더 커지고 소리도 더욱 커진다.

489.

The sooner a consumer throws away the object [(that) he has bought] and buys
 S₁   V₁   O₁   (O관·대 생략) S₃ V₃   V₂
another, the better it is (for the producer).
O₂   SC   S V

직독직해 더 빨리 / 소비자가 버릴수록 / 물건을 / 그가 샀던 / 그리고 다른 하나를 살수록 / 그것이 더 좋다 / 생산자에게

해 석 소비자가 산 물건을 이내 버리고 또 하나 사면 그만큼 생산자에게는 이득이 된다.

490.

The faster jets go, the hotter they get and the more fuel they use. *The more* fuel they
         S V   SC₁   S₁ V₁   O₂   S₂ V₂ O   S
consume, the shorter their period of flight (is).
V   SC   S   (V 생략)

직독직해 제트기가 빨리 갈수록 / 그것들은 더 뜨거워진다 / 그리고 그것들은 더 많은 연료를 쓰게 된다 // 더 많은 연료를 그것들이 쓸수록 / 그것들의 비행시간
이 더 짧아진다

해 석 제트기는 빨리 날면 날수록 더 뜨거워지며 더욱 많은 연료를 쓰게 된다. 연료를 많이 소비할수록 비행시간은 더욱 단축된다.

491.

The more traveling there is, the more will culture and way of life tend (everywhere) to
S   V   V₁   S₁   way of life   V₁
be standardized and (therefore) the less educative will travel become.
                               SC₂   V₂   S₂   V₂

직독직해 여행이 많아질수록 / 문화와 생활 방식이 더욱더 / 도처에서 표준화되는 경향이 있다 / 그러므로 / 여행은 덜 교육적이게 될 것이다

해 석 여행이 많아질수록 문화와 생활 방식이 도처에서 표준화되기 쉽고, 이에 따라 여행은 그만큼 덜 교육적이게 될 것이다.

기타 비교급 해석

492.

(Often) <**what** they seek> is not so much profound knowledge as quick information.
　　　　　S　　　　　　 V　　　　　　　　　SC2　　　　　　　　SC1

[직독직해] 종종 그들이 구하는 것은 / 주로 심오한 지식이라기보다는 빠른 정보다

[해　석] 종종 그들이 구하는 것은 주로 심오한 지식이라기보다는 빠른 정보다.

493.

(Nonetheless), most New Yorkers don't (even) own guns, much less carry one (around
　　　　　　　　　　S　　　　　　 V1　　　　　O1　　　　　　 V2　　O2
with them).

[직독직해] 그럼에도 불구하고, 대부분의 뉴욕 시민들은 / 소유하지조차 않는다 / 총을 / 지니고 다니는 것은 말할 것도 없이

[해　석] 그럼에도 불구하고, 대부분의 뉴욕 시민들은 총을 지니고 다니는 것은 말할 것도 없이 소유하지조차 않는다.

494.

They lived no less successful lives than those [whose names have become familiar (to
　S　　V　　　　　　O　　　　　　 비교대상　 S　　　　　 V　　　　　SC
the world)].

[직독직해] 그들은 / 성공적인 삶을 살았다 / 사람들과 마찬가지로 / <그런데 그 사람들의> 이름이 / 세상에 알려진

[해　석] 그들은 이름이 세상에 알려진 사람들과 마찬가지로 성공적인 삶을 살았다.

495.

Melancholy is caused less (by the failure) [to achieve great ambitions or desires] than
　　S　　　 V　　　　　　　　　　　　　　 V1　　　　O1
(by the inability) [to perform small necessary acts].
　　　　　　　　　　　 V2　　　　O2

[직독직해] 우울함은 야기된다 / 실패에 의해서라기보다는 / 큰 야망이나 소원을 성취하는 데 있어서 / 무능력에 의해서 / 사소하고 필요한 행동들을 하는 데 있어서

[해　석] 우울함은 큰 야망이나 소원을 성취하는 데 있어서의 실패에 의해서라기보다는 사소하고 필요한 행동들을 하는 데 있어서의 무능력에 의해서 야기된다.

496.

He tried to soothe his wife (by giving her a present rather than taking her out (for a
S V   O   V₁   IO₁ DO₁   V₂   O₂
walk)).

직독직해 그는 / 달래려고 노력했다 / 그의 부인을 / 그녀에게 선물을 줌으로써 / 그녀를 데리고 나가는 것 대신 / 산책하러

해 석 그는 그녀와 산책하러 나가는 대신 그녀에게 선물을 줌으로써 그의 아내를 달래려고 노력했다.

497.

He exists less (by the actions [performed (during his life)]) than (by the wake [(that)
S V   비교대상   (O관·대 생략)
he leaves (behind him) (like a shooting star)]).
S V

직독직해 인간은 존재한다 / 행동에 의해서라기보단 / 그의 삶 동안 행해진 / 흔적에 의해 / 그가 남기는 / 그의 뒤에 / 마치 유성처럼

해 석 인간은 살아가는 동안 행한 행동에 의해서 존재한다기보다는 마치 유성처럼 그의 뒤에 그가 남기는 흔적에 의해 존재한다.

498.

If you must give your child a credit card, (the experts say), make sure <(that) it has a
S₁ V₁   IO₁   DO₁   (삽입)   V₁   O₁ (생략) S₂ V₂ O₂
pre-set limit of no more than a thousand dollars>, and teach your children <**that** the
                                                         V₂   IO₂   DO₂ S₃
card is to be used (only) (in emergencies)>.
     V₃

직독직해 만약 당신이 주어야 한다면 / 자녀에게 / 신용카드를 / 전문가는 말한다 / 명심하라고 / 그것이 / 가지도록 / 1천 달러 정도로 미리 정해진 한도액을 /
그리고 가르치라고 / 자녀에게 / 카드가 사용되어야 한다는 것을 / 오직 비상시에만

해 석 자녀에게 신용카드를 주어야 할 경우에는 1천 달러 정도로 미리 한도액을 정해 놓고, 오직 비상시에만 카드를 사용하도록 가르치라고 전문가들은 말한다.

499.

(Rather), (he said), it represents no less than a new paradigm (for the way) [museums
     (삽입)   S V   O   S
(in general) collect art and interact with one another].
             V₁   O₁   V₂   O₂

직독직해 오히려 / 그는 말했다 / 그것은 나타낸다고 / 다름 아닌 새로운 패러다임을 / 방식을 위한 / 박물관들이 / 일반적으로 예술품을 수집하고 / 서로 상호작용을 하는

해 석 오히려 그는 그것은 박물관들이 일반적으로 예술품을 수집하고 서로 상호작용하는 방식을 위한 꽤 새로운 패러다임을 나타내는 것이라고 말했다.

500.

The problems of today have become so complex *that* a superficial knowledge is
S₁   V₁   SC₁   S₁   V₁

inadequate (to enable the cultivated layman to grasp them all, much less to discuss
SC₁   to부정사(정도) V₂ O₂   OC₂   (동격)   OC₃

them).

직독직해 오늘날의 문제는 / 너무 복잡해져서 / 그 결과 피상적인 지식은 / 가능하게 할 만큼 충분치 않다 / 교양 있는 비전문가가 / 모든 것을 파악하는 것을 /
하물며 그것들을 논의하는 것도

해 석 오늘날의 문제는 대단히 복잡해졌기 때문에 교양 있는 비전문가는 표면적인 지식만으로 그 문제들을 전부 파악할 수 없고, 하물며 그것들을 논의할 수
는 더욱 없다.

501.

I have learned <**that** success is to be measured less (by the position [that one has
S V   O   S₁   V₁   O관·대 S₂ V₂

reached (in life)]) than (by the obstacles [which he has overcome *while* trying to
  비교대상   O관·대 S₃ V₃

succeed])>.

직독직해 나는 배웠다 / 성공은 / 측정될 수 있다는 것을 / 위치보다는 / 사람이 도달했던 / 삶에서 / 장애물에 의해서 / 그가 극복했던 / 성공하기 위해 노력하는
동안

해 석 성공은 인생에서 도달한 위치에 의해서라기보다는 성공하기 위해 노력하는 동안 극복한 장애물에 의해서 측정될 수 있다는 것을 나는 배웠다.

502.

(Within no longer than a decade or two (decades)), the probability of spending part of
  (생략)   S

one's life (in a foreign culture) will exceed the probability (a hundred years ago) of
  V   O

ever leaving the town [in which one was born].
  전O관·대 S V

직독직해 지금부터 10년이나 20년 이내에 / 어떤 사람이 그 생애의 일부분을 보낼 가능성은 / 외국 문화에서 / 능가할 것이다 / 가능성을 / 100년 전에 마을을
떠나본 적이 있는 / 그 사람이 태어났던

해 석 지금부터 10년이나 20년 이내에, 어떤 사람이 외국 문화에서 생애의 일부분을 보내게 될 가능성은 100년 전에 자신이 태어난 고향 마을을 떠나본 적
이 있을 가능성을 넘어서게 될 것이다.

Pattern 53 **다양한 최상급 표현**

503.

He is as qualified as any man (in the company).
S V SC

직독직해 그는 자질을 갖추었다 / 그 누구 못지않게 / 회사 내의

해 석 그는 회사 내의 그 누구 못지않게 자질을 갖추었다.

504.

Nowhere is prey detection (with this sense) better developed than in sharks.
V S V

직독직해 어디에도 없다 / 이러한 감각을 가진 먹이 탐색기관이 / 더 발달된 것은 / 상어보다

해 석 이러한 감각을 가진 먹이 탐색기관이 상어보다 더 발달된 것은 어디에도 없다.

505.

The highest reward (for a person's toil) is not <**what** they get (for it)>, but <**what**
S V SC₁ S₁ V₁ SC₂
they become (by it)>.
S₂ V₂

직독직해 최고의 보상은 / 한 사람의 노고에 대한 / 그것 때문에 그들이 얻게 되는 것이 아니고 / 그것으로 인해 그들이 되는 것이다

해 석 한 사람의 노고에 대한 최고의 보상은 그것 때문에 그들이 얻게 되는 것이 아니고 그것으로 인해 그들이 되는 것이다.

506.

He (always) works (hardest) (in the office).
S V

직독직해 그는 / 언제나 / 일한다 / 가장 열심히 / 사무실에서

해 석 그는 언제나 사무실에서 가장 열심히 일한다.

507.

The noblest face reveals potential evil [overcome]; the vilest (face reveals) potential
S₁   V₁   O₁   대조   S₂   (생략)   O₂

good [suppressed].

직독직해 가장 고상해 보이는 얼굴이 / 드러낸다 / 잠재적 악을 / 압도된 / 가장 사악해 보이는 얼굴이 / 잠재적 선을 / 억압되어 있는

해 석 가장 고상해 보이는 얼굴은 압도된 잠재적 악을 보여 주고, 가장 사악해 보이는 얼굴은 억압되어 있는 잠재적 선을 보여 준다.

508.

Although gestures seem (rather) natural (to us) and (almost) (inherently) meaningful,
     S   V   SC₁   SC₂

they are as arbitrary as any word (in any language).
S   V   SC   비교대상

직독직해 비록 제스처가 / 다소 자연스럽게 보이고 / 우리에게 / 거의 본래부터 의미가 있어 보이지만 / 그것들은 / 자의적이다 / 어떤 단어만큼 / 어떤 언어에서

해 석 제스처가 우리에게 다소 자연스럽고, 거의 본래부터의 의미가 있는 것처럼 보이지만, 제스처는 어떤 언어의 어떤 단어만큼이나 자의적인 것이다.

509.

(Of all the travelers) [who have journeyed (to that enchanted realm of Once Upon a
                S관·대   V

Time)], none has come back (with treasures) [more glistening than Hans Christian
       S   V   비교대상

Andersen (has)].
     (생략)

직독직해 모든 여행자들 중에서 / 옛날 옛적 마법의 나라를 여행했던 / 어느 누구도 / 돌아오지 못했다 / 더 반짝이는 보물을 가지고 / 한스 크리스티안 안데르센보다

해 석 옛날 옛적 마법의 나라를 여행한 모든 여행자들 중에서 한스 크리스티안 안데르센보다 더 반짝이는 보물을 가지고 돌아온 사람은 없다.

510.

Few writers have equaled Willa Cather (in understanding the violent clash) [that
  S   V   O   S관·대

occurred (in the United States) *when* the gentle, hopeful immigrants (from the Old
V₁   S₂

World) struck the rigorous, inhospitable prairies of the New].
      V₂   O₂

직독직해 거의 어느 작가도 / 필적하지 못했다 / Willa Cather에 / 격렬한 충돌을 이해하는 데 있어 / 발생했던 / 미국에서 / 점잖고 희망찬 이주민들이 / 유럽에서 온 / 부딪혔을 때 / 신대륙의 혹독하고 황량한 평원에

해 석 유럽에서 온 점잖고 희망에 가득 찬 이주민들이 신대륙의 혹독하고 황량한 대평원에 부딪혔을 때, 미국에서 발생했던 격렬한 충돌을 이해하는 데 있어 Willa Cather에 필적할 만한 작가는 없다.

Pattern 54 **부정 표현**

511.

There was little change (for the better).
V ⎯ S

직독직해 거의 변화가 없었다 / 더 좋은 쪽으로

해 석 더 좋은 쪽으로 거의 변화가 없었다.

512.

He is anything but a scholar.
S V SC

직독직해 그는 / 절대 학자가 아니다.

해 석 그는 절대 학자가 아니다.

513.

Archimedes was the last man [to say <**that** anything was impossible>].
S V SC S V SC

직독직해 아르키메데스는 / 결코 말하지 않을 사람이었다 / 어떤 일이든 불가능하다는 것을

해 석 아르키메데스는 어떤 일이든 불가능하다는 것을 결코 말하지 않을 사람이었다.

514.

It is so far (from being true) <**that** men are naturally equal>.
가S V SC 진S S V SC

직독직해 진실로부터 너무도 멀다 / 〈뭐가?〉 인간이 / 태어날 때부터 평등하다는 것이

해 석 인간이 태어날 때부터 평등하다는 것은 진실로부터 너무도 멀다.

515.

Who knew <(that) he was an industrial spy>?
S   V   O(생략) S V   SC

= Nobody knew <(that) he was an industrial spy>.
  S   V   O(생략) S   V   SC

직독직해 누가 알았겠는가 / 그가 산업 스파이였다는 것을

해 석 그가 산업 스파이였다는 사실을 누가 알았겠는가?

516.

If your success is not on your own terms, *if* it looks good (to the world) but does not
    S₁   V₁ SC₁   S₂ V₂ SC₂   V₃

feel good (in your soul), it is not success (at all).
     SC₃   S V   SC

직독직해 만약 당신의 성공이 / 당신의 방식에 맞지 않는다면 / 만약 이것이 좋게 보이지만 / 세상에 / 본인의 마음에 들지 않는다면 / 그것은 성공이라고 할 수 없다 / 전혀

해 석 만약 당신의 성공이 여러분의 방식에 맞지 않고, 그저 세상 사람들에게만 좋게 보일 뿐 본인의 마음에 들지 않는다면, 그것은 전혀 성공이라고 할 수 없다.

517.

I reminded myself <**that *since*** Harry had (surely) dressed her down (already), the last
S V   IO   DO   S₁   V₁   O₁   S₂

thing [(that) she needed] was (yet) another scolding>.
         (O관·대 생략) S₃ V₃   V₂   SC₂

직독직해 나는 나 자신에게 상기시켰다 / Harry가 그녀를 이미 확실히 꾸짖었기 때문에 / 그녀에게 필요한 것은 / 결코 또 다른 꾸지람이 아니라고

해 석 나는 나 자신에게 Harry가 이미 그녀를 확실히 꾸짖었으니, 그녀에게 또 다른 꾸지람은 결코 필요가 없다는 것을 상기시켰다.

518.

The failure of the summit may be a blessing in disguise, *because* (when it comes to
S   V   SC

dealing with climate change), the last thing [(that) we need (right now)] is (yet) another
                              S₁   (O관·대 생략) S₃ V₃   V₁   SC₁

empty agreement and (yet) more moral posturing.
                          SC₂

* when it comes to (동)명사: ~에 관한 한

직독직해 그 정상 회담의 실패는 / 아마 전화위복일지 모른다 / 왜냐하면 / 기후 변화를 다루는 것에 관해서라면 / 우리에게 현재 필요한 것은 / 결코 또 하나의 공허한 협정과 / 거기에 더하여 도덕적 가식이 아니기 때문이다

해 석 그 정상 회담의 실패는 전화위복일지 모르는데 왜냐하면 기후 변화를 다루는 문제에 관한 한 우리에게 현재 필요한 것은 또 하나의 공허한 협정과 거기에 더하여 도덕적 가식이 결코 아니기 때문이다.

Pattern 55 **부분부정·전체부정·이중부정**

519.

If I had told you <**that** the ocean is full of sharks>, you might have panicked and
S V IO DO S₁ V₁ O₁ S₁ V₁
none of us would have swum and reached this beach.
S₂ V₂ V₃ O₃

직독직해 만약 내가 / 말했더라면 / 당신에게 / 그 바다는 상어들로 가득 차 있다는 것을 / 당신은 / 아마 기겁을 했을지도 모르고 / 우리 중 아무도 / 수영해서 /
이 해변에 도달하지 못했을 것이다

해　석 만약 내가 당신에게 그 바다는 상어들로 가득 차 있다는 것을 말했더라면, 당신은 아마 기겁을 했을지도 모르고 우리 중 아무도 수영해서 이 해변에 도
달하지 못했을 것이다.

520.

She (never) passed her old home *but* she thought of the happy years [(that) she had
S V O S₁ V₁ O₁ (O관·대 생략) S₂ V₂
spent (there) (with her family)].

직독직해 그녀는 / 결코 지나가지 않았다 / 그녀의 예전 집을 / 그녀가 생각하지 않고서는 / 행복한 시간들을 / 〈그런데 그 시간을〉 그녀가 거기서 보냈었다 / 그
녀의 가족과 함께

해　석 그녀는 그녀의 예전 집을 그녀의 가족과 함께 보냈었던 행복한 시간들을 그녀가 생각하지 않고서는 결코 지나가지 않았다.

521.

Shoes have (not always) served such a purely functional purpose, (however), and the
S₁ V₁ O₁ S₂
requirements of fashion have dictated some curious designs, [not all of which made
V₂ O₂ S 전O관·대 V
walking easy].
O OC

직독직해 신발은 / 항상 봉사한 것만은 아니었다 / 그러한 순수하게 기능적인 목적에 / 그러나 / 그리고 패션의 요구조건들은 / 명령했다 / 몇몇 호기심을 끄는
디자인을 / 〈그런데 이 모든 것이 다〉 걸음을 수월하도록 만드는 것은 아니다

해　석 그러나, 신발은 그러한 순수하게 기능적인 목적만을 항상 충족시킨 것은 아니었다. 그리고 패션의 요구조건들은 몇몇 호기심을 끄는 디자인을 명령했
는데 이 모든 것이 다 걸음을 수월하도록 만든 것은 아니다.

522.

(Without the sense of touch), we could not feel any difference (between rough and
<u>S</u>   <u>V</u>   <u>O</u>
smooth surfaces).

직독직해 촉각이 없다면 / 우리는 느끼지 못할 것이다 / 어떠한 차이도 / 거친 표면과 부드러운 표면 사이의

해 석 촉각이 없다면, 우리는 거친 표면과 부드러운 표면 사이의 어떠한 차이도 느끼지 못할 것이다.

523.

Boys cannot (all) become great men, but they can (all) become good men.
<u>S₁</u> <u>V₁</u>   <u>SC₁</u>   <u>S₂</u> <u>V₂</u>   <u>SC₂</u>

직독직해 소년들은 / 모두가 될 수 있는 것은 아니지만 / 위인이 / 그러나 / 그들은 / 모두 될 수 있다 / 선인은

해 석 소년들이 다 위인이 될 수는 없지만 그들은 모두 선인이 될 수는 있다.

524.

We cannot study the lives of great men (without noticing <**how** often an apparent
<u>S</u> <u>V</u>   <u>O</u>   <u>V₁</u>   <u>O₁</u>   <u>S₂</u>
misfortune was (for them) an (exceedingly) fortunate thing>).
     <u>V₂</u>   <u>SC₂</u>

직독직해 우리는 / 연구할 수 없다 / 위인들의 삶을 / 주목하는 것 없이는 / 얼마나 흔히 / 외관상의 불행이 / 그들에게 / 지극히 다행인 일이었는지를

해 석 우리가 위인들의 전기를 연구하면, 외관상으로는 불행한 것이 얼마나 흔히 그들에게 지극히 다행한 일이었는지를 반드시 알게 된다.

525.

(Today), many people believe in "fair trade." I'm surprised <**that** I can't go (to my
     <u>S</u>   <u>V</u>   <u>O</u>   <u>S</u> <u>V</u>   <u>O</u>   <u>S</u> <u>V₁</u>
university, supermarket), or watch my favorite food television program (without
                <u>V₂</u>   <u>O₂</u>
everyone complimenting the ethical superiority of the fair-trade option)>.
의미상 주어   전O₃

직독직해 오늘날 / 많은 사람들은 신봉한다 / "공정 거래"를 // 나는 놀랐다 / 나는 갈 수 없다는 것에 / 대학교와 슈퍼마켓에 / 또는 볼 수 없다는 것에 / 내가 좋아하는 음식 텔레비전 프로그램을 / 모든 사람들이 공정 거래의 윤리적 우월성에 대해 칭찬하는 것 없이

해 석 오늘날, 많은 사람들이 "공정 거래"를 신봉한다. 내가 대학교와 슈퍼마켓에 갈 때나 좋아하는 음식 텔레비전 프로그램을 볼 때마다 모든 사람들이 공정 거래가 지닌 윤리적 우월성을 칭찬해대는 것에 나는 놀라게 된다.

Pattern 56 **대명사 해석**

526.

It is one thing to work for money, and it is quite another to have your money work for
가S V₁ SC₁ ———— 진S₁ ———— 가S₂ V₂ SC₂ ———— 진S₂ ————
you.

직독직해 돈을 위해 일하는 것은 / 돈이 너를 위해 일하도록 하는 것과 별개다

해　석 돈을 위해 일하는 것은 돈이 너를 위해 일하도록 하는 것과 별개다.

527.

<**What** a blanket (always) does> is to prevent heat from passing (through one side of
S　　　S　　　　　V　V　SC ————————————————————
it) (to the other).

직독직해 담요가 언제나 하는 것은 / 막아주는 것이다 / 열이 전달되는 것을 / 한쪽 면을 통해서 다른 쪽 면으로

해　석 담요가 언제나 하는 것은 열이 한쪽 면을 통해서 다른 쪽 면으로 전달되는 것을 막아주는 것이다.

528.

The cycles of Western economies (during the 20th century) had a significant impact (on
S —————————————————————————————————— V O
the prevalence of objects [that emphasized design (over styling — and the other way
S관·대 V O
around)]).

직독직해 서양의 경제 주기는 / 20세기 동안 / 중대한 영향을 끼쳤다 / 물건의 유행에 / 〈그런데 그 물건은〉 강조했던 / 스타일링보다 디자인을 / 혹은 그 반대

해　석 서양의 경제 주기는 20세기 동안 스타일링보다 디자인을 혹은 그 반대를 강조했던 물건의 유행에 중대한 영향을 끼쳤다.

529.

The truth is (quite) the other way around.

S V   SC

직독직해 진실은 / 완전히 반대이다

해 석 진실은 완전히 반대이다.

530.

(Of the two men), I prefer the former to the latter.

       S V O   비교대상

직독직해 두 사람 중 / 나는 선호한다 / 전자를 / 후자에 비해

해 석 두 사람 중 후자보다 전자가 마음에 든다.

531.

Does the earth revolve (around the sun), or is it the other way around?

V₁ S₁ V₁   V₂ S₂ SC₂

직독직해 지구가 돕니까 / 태양 주변을 / 혹은 반대입니까?

해 석 지구가 태양 주변을 돕니까 아니면 그 반대입니까?

532.

Passing your driving test is one thing, and being a good driver is another.

S₁   V₁ SC₁   S₂   V₂ SC₂

직독직해 운전시험에 합격하는 것은 / 한 가지 일이다 / 그리고 좋은 운전자가 되는 것은 / 다른 것이다

해 석 운전시험에 합격하는 것과 좋은 운전자가 되는 것은 별개이다.

533.

(In fact), it's more likely <**that** high productivity creates job satisfaction (rather than
　　　　가S V SC 　　　　진S 　　　　S 　　　　　　V O
the other way around)>.

직독직해 사실 / 더 경향이 있다 / 높은 생산성이 / 직업 만족감을 만드는 / 반대의 경우보다

해　석 사실, 직업에 대한 만족감이 생산성을 가져온다기보다는 높은 생산성이 직업에 대한 만족감을 더 가져오는 경향이 있다.

534.

The latter is said to migrate (in large numbers), **while** the former (is said to migrate) (in
S 　　V 　　SC 　　　　　　　　　　　　S 　　　　　(V 생략)
small numbers) or (individually).

직독직해 후자는 / 말해진다 / 이동한다고 / 큰 규모로 / 전자가 [이동한다고 말해지는 반면에] / 적은 숫자나 개별적으로

해　석 전자가 적은 숫자나 개별적으로 이동하는 것에 반해, 후자는 많은 숫자들이 떼지어 이동한다고 전해진다.

535.

Some of their artificial mothers were made of cold, hard wire **while** the others were
S 　　　　　　　　　　　V 　　　　O 　　　　　　　　　　S1 　　V1
made of warm, soft towel cloth.
　　O1

직독직해 인공 엄마들의 일부는 / 만들어졌다 / 차갑고 단단한 철사로 / 다른 인공 엄마들은 / 만들어진 반면에 / 따뜻하고 부드러운 타월 천으로

해　석 인공 엄마들의 일부는 차갑고 단단한 철사로 만들어져 있었고, 한편 다른 인공 엄마들은 따뜻하고 부드러운 타월 천으로 만들어져 있었다.

명-RVing / 명-p.p.의 해석

536.

The company reduced its water use (by installing automatic faucets and water-saving
  S   V   O   V   O₁   O₂
toilets), saving 152,000 dollars.

직독직해 이 회사는 / 물 사용을 줄였다 / 자동 수도꼭지와 절수 변기를 설치함으로써 / 〈그러면서〉 152,000달러를 절약했다

해 석 이 회사는 자동 수도꼭지와 절수 변기를 설치함으로써 물 사용을 줄였고, 그러면서 152,000달러를 절약했다.

537.

Some Korean artists suggest <**that** the process of making hanji, hand-made Korean
  S   V   O   S   부연설명
paper, reflects human life>.
          V   O

직독직해 몇몇 한국 예술가들은 / 말한다 / 한지를 만드는 과정 / 손으로 만든 한국 종이인 / 〈그것은〉 인생을 반영한 것이라고

해 석 몇몇 한국인 예술가들은 손으로 만든 한국 종이인 한지를 만드는 과정이 인생을 반영한 것이라고 말한다.

538.

As I turned the corner (off the tree-lined street), I realized <(that) the whole house was
    S₁ V₁   O₁   S V   O(생략) S₂   V₂
shining (with light)>.

직독직해 내가 모퉁이를 돌아 / 가로수가 늘어선 거리를 벗어났을 때 / 나는 알아차렸다 / 집 전체가 빛나고 있다는 것을 / 햇살로

해 석 내가 모퉁이를 돌아 가로수가 늘어선 거리를 벗어났을 때, 집 전체가 햇살로 빛나고 있음을 알아차렸다.

539.

(Over the last few decades), biologists have found <**that** whales, elephants, and some
                              S   V   O   S
other animals (also) use this (extremely) low-pitched sound (to communicate)>.
              V   O   to부정사(목적)

직독직해 지난 수십 년에 걸쳐 / 생물학자들은 / 발견해 왔다 / 고래, 코끼리, 그리고 몇몇 다른 동물들이 / 또한 사용한다는 것을 / 이처럼 극도로 낮은 음의 소
리를 / 의사소통을 하기 위해

해 석 지난 수십 년에 걸쳐, 생물학자들은 고래, 코끼리, 그리고 몇몇 다른 동물들도 의사소통을 하기 위해 이런 초저음을 사용한다는 것을 알게 되었다.

540.

The number of people (under 70) [dying from smoking-related diseases] is larger than
S · V · SC
the total number of deaths [caused (by breast cancer, AIDS, and traffic accidents)].
비교대상

직독직해 사람의 수는 / 70세 이하의 / 흡연과 관련된 질병으로 죽는 / 더 많다 / 총 사망자 수보다 / 유방암, 에이즈 그리고 교통사고에 의한

해　석 70세 이하의 흡연 관련 질병으로 인한 사망자의 수는 유방암, 에이즈, 그리고 교통사고로 인한 총 사망자 수보다 많다.

541.

Founded (in 1960) (to gain greater control (over the price of oil)), OPEC consists of
· · · · · · · · · · · · · · · to부정사(목적) · S · · · V
the main Arabic oil-producing countries.
O

직독직해 1960년에 설립된 / 통제권을 더욱 확보하기 위해 / 유가에 대한 / 〈그런〉 OPEC은 / 이루어져 있다 / 아랍의 주요 산유국들로

해　석 유가에 대한 더 큰 통제권을 확보하기 위해 1960년에 설립된 OPEC은 아랍의 주요 산유국들로 구성되어 있다.

542.

While activists prepare to unfurl protest banners, politicians are scrambling for
· · · · · · · · S · · · · · · V · · · · · · · · · · · O · · · · · · · · · · · · S · · · · · · V
a face-saving way [to declare the summit a success].
O

직독직해 활동가들이 / 시위 현수막들을 펼치는 것을 준비하는 동안 / 정치인들은 / 앞다투어 애쓰는 중이다 / 체면을 세우는 방법을 위해 / 정상 회담이 성공이
었다고 선언할

해　석 활동가들이 시위 현수막들을 펼칠 준비를 하는 동안에 정치인들은 정상 회담이 성공이었다고 선언할 체면을 세우는 방법을 위해 앞다투어 애쓰는 중이다.

543.

(In general terms), tablet PC refers to a slate-shaped mobile computer device,
                             S   V   O
[equipped with a touchscreen or stylus [to operate the computer]].

직독직해   일반적인 용어로 / 태블릿 PC는 / 가리킨다 / 얇은 석판 모양의 이동식 컴퓨터 장치를 / 터치 스크린 또는 터치 펜을 장착한 / 컴퓨터를 조작할

해 석   일반적인 용어로 태블릿 PC는 그 컴퓨터를 조작할 수 있는 터치 스크린 혹은 터치 펜을 장착한 얇은 석판 모양의 이동식 컴퓨터 장치를 가리킨다.

544.

The well-born young Athenians [who gathered (around Socrates)] found it (quite)
S   S관·대 V1   V   가O
paradoxical <**that** their hero was so intelligent, so brave, so honorable, so seductive —
OC   진O   S2   V2   SC2
and so ugly>.

직독직해   좋은 가문에서 태어난 아테네 젊은이들은 / 소크라테스 주위에 모였던 / 발견했다 / 꽤 역설적이라는 것을 / 〈뭐가?〉 그들의 영웅이 / 너무나 지적이고 / 용감하고 / 고결하고 / 매력적이나 / 너무도 추남이라는 것이

해 석   소크라테스 주변에 모여든 좋은 집안 출신의 아테네 젊은이들은 그들의 영웅(소크라테스)이 너무도 지적이고 용감하고 고결하고 매력적인데 반해, 너무도 추남이라는 것이 꽤 역설적이라는 것을 발견했다.

545.

Molecules [found in red wine] have (for the first time) been shown to mimic the
S   V   SC
life-extending effects of calorie restriction, a finding [that could help researchers
                                        (동격)   S관·대 V1   O1
develop drugs [that lengthen life and prevent or treat aging-related diseases]].
OC1   S관·대 V2   O2   V3   O3

직독직해   적포도주에서 발견된 분자는 / 처음으로 밝혀졌다 / 흉내 낸다고 / 생명을 연장시키는 칼로리 제한 효과를 / 〈그것은〉 연구 결과이다 / 연구자들이 약을 개발하도록 도울 수 있는 / 삶을 연장시키고 / 예방하거나 치료하는 / 노화와 관련된 질병을

해 석   적포도주에서 발견되는 분자가 생명을 연장시키는 칼로리 제한 효과를 흉내 내는 것이 처음으로 밝혀졌는데, 그것은 연구원들이 수명을 연장시키고 노화와 관련 있는 질병을 예방하거나 치료하는 약을 개발하는 데 도움을 줄 수 있다는 연구 결과이다.

Pattern 58 「be + 형용사 + 전치사」/ V + one's way

546.

She was certain <**that** the young man had gone mad>.
　S　V　　　　　　O　S　　　　　　　V　　SC

직독직해 그녀는 / 확신했다 / 그 젊은이가 미쳤다는 것을

해석 그녀는 그 젊은이가 미쳤다는 것을 확신했다.

547.

If you don't want to find yourself (on thin ice), you must be sure of your facts.
　S　V　　　　　　　O　　　　　　　　　S　V　　　　　O

직독직해 만약 당신이 / 처하고 싶지 않다면 / 얇은 얼음에(= 위험에) / 당신은 / 사실에 대해 자신해야 한다

해석 만약 당신이 얇은 얼음에(= 위험에) 처하고 싶지 않다면 당신은 사실에 대해 자신해야 한다.

548.

Plants [that stay (inside) (all winter)] will be glad of all the light [(that) they can get].
　S　　S관·대 V1　　　　　　　　　V　　　　　　O　　　　(O관·대 생략) S2　 V2

직독직해 화초들 / 겨울 내내 실내에 있는 / 기뻐할 것이다 / 모든 빛에 / 그것들이 얻을 수 있는

해석 겨울 내내 실내에 있는 화초들은 그것들이 얻을 수 있는 모든 빛에 기뻐할 것이다.

549.

When we are not too anxious about happiness and unhappiness but devote ourselves
　　　S　V1　　　　　　　　　　O1　　　　　　　　　V2　　O2

(to the strict and faithful performance of duty), (then) happiness comes (of itself).
　　　　　　　　　　　　　　　　　　　　　　S　　V

직독직해 우리가 너무 걱정하지 않을 때 / 행복과 불행을 / 그러나 / 바칠 때 / 우리 스스로를 / 엄격하고 충실한 의무의 이행에 / 그러면 / 행복은 찾아온다 / 저절로

해석 우리가 행복과 불행에 지나치게 걱정을 하지 않고, 의무를 엄격하고 충실하게 이행하는 데 전념한다면 행복은 저절로 찾아온다.

550.

It is a common prejudice <**that** whales live (only) (in the cold, open water of the
가S₁ V₁ SC₁   진S₁ S₁ V₁

oceans)>, and most of my fellow countrymen (from Greece) are not aware of the fact
                    S₂   V₂   O₂

<**that** bottlenose whales live (right in front of their noses)>.
(동격) S₂   V₂

직독직해 일반적인 편견이다 / 고래들이 산다는 것이 / 오직 추운, 대양의 개빙 구역 안에만 / 그리고 / 내 동포들 대부분은 / 그리스 출신의 / 알지 못한다 / 사실을 / 병코고래들이 살고 있다는 것을 / 그들의 바로 코앞에

해　석 고래들이 오직 추운 대양의 개빙 구역 안에서만 산다는 것은 흔한 편견이며, 그리스 출신인 내 동포들의 대다수는 병코고래들이 그들의 바로 코앞에서 살고 있다는 사실을 모르고 있다.

551.

The division of Europe (into a number of independent states), [connected, (however),
S

(with each other) (by the general resemblance of religion, language, and manners)], is
                                                                                        V

productive of the most beneficial consequences (to the liberty of mankind).
        O

직독직해 유럽의 분리는 / 수많은 독립적 국가들로의 / 그러나 연결된 / 서로서로 / 종교, 언어, 그리고 풍습의 일반적인 유사성에 의해 / 야기한다 / 가장 유익한 결과를 / 인류의 자유에

해　석 유럽이 종교, 언어, 풍습의 일반적 유사성으로 서로 연결되어 있지만 여러 독립된 국가들로 나누어진 것은 인류의 자유에 가장 좋은 결과를 가져다 준다.

552.

She made her way (through the crowd).
S   V   O

직독직해 그녀는 / 나아갔다 / 군중 속을 뚫고

해　석 그녀는 군중 속을 뚫고 나아갔다.

553.

They cut their way (into the jungle).
S   V   O

직독직해 그들은 / 헤치며 나아갔다 / 정글 속으로

해　석 그들은 길을 헤치며 정글 속을 지나갔다.

554.

<u>She</u> <u>elbowed</u> <u>her way</u> (through the crowd).
S   V   O

직독직해 그녀는 / 지나갔다 / 군중 속으로

해　석 그녀는 군중을 헤집고 나아갔다.

555.

It is easier to go with the tide than to try to force one's way (against public opinion).
가S V SC   진S   비교대상

직독직해 더 쉽다 / 시류에 따라 가는 것이 / 나아가려 노력하는 것보다 / 여론과 반대로

해　석 여론에 거슬러 나아가려 하기보다는 시류에 따르는 것이 더 쉽다.

556.

<u>He</u> <u>found</u> <u>his way</u> (to Chicago).
S   V   O

직독직해 그는 / 다다랐다 / 시카고에

해　석 그는 시카고에 다다랐다.

557.

<u>The blind man</u> <u>groped</u> <u>his way</u> (along the corridor).
S   V   O

직독직해 그 맹인은 / 손으로 더듬어 나아갔다 / 복도를 따라

해　석 그 맹인은 손으로 더듬으며 복도를 따라 나아갔다.

558.

He worked his way (through college).
S   V   O

직독직해 그는 / 고학으로 마쳤다 / 대학을

해　석 그는 고학으로 대학을 마쳤다.

559.

Frank Sinatra said <**that** he would keep his way (even) (in bad times)>.
S   V   O   S   V   O

직독직해 프랭크 시나트라는 말했다 / 그는 / 흔들림 없이 나아갈 것이라고 / 심지어 힘든 시기에도

해　석 프랭크 시나트라는 힘든 시기에도 흔들림 없이 나아갈 것이라고 말했다.

560.

(To pay his way (through school)), he taught classes (at Yale).
　　to부정사(목적)　　　　　　　　　　S   V   O

직독직해 학비를 벌기 위해 / 그는 강의를 했다 / 예일대학에서

해　석 학비를 벌기 위해 그는 예일대학에서 강의를 했다.

561.

She wins her way (to be loved (by her mother)).
S   V   O   to부정사(목적)

직독직해 그녀는 노력한다 / 사랑을 받기 위해 / 엄마로부터

해　석 그녀는 그녀의 엄마에게 사랑 받으려고 노력한다.

부록

직독직해의 법칙

최소시간 X 최대효과 = 초고효율 심우철 합격영어

직독직해의 법칙

원리 01 구의 개념을 잘 잡아라

562.

The girl will stay (at home) (during Christmas).
<u>S</u>   <u>V</u>

직독직해 그 소녀는 / 집에 머물 것이다 / 크리스마스 때

해 석 그 소녀는 크리스마스 때 집에 머물 것이다.

563.

One of the most important tasks of the teacher is to help his students.
<u>S</u>   <u>V</u> <u>SC</u>

직독직해 가장 중요한 임무들 중 하나는 / 선생님의 / 학생을 도와주는 것이다

해 석 선생님의 가장 중요한 임무들 중 하나는 학생을 도와주는 것이다.

564.

Everyone (in the new city) likes John (for his industry).
<u>S</u>   <u>V</u>   <u>O</u>

직독직해 신도시의 모든 사람들은 / John을 좋아한다 / 그의 근면함 때문에

해 석 신도시의 모든 사람들은 John이 근면해서 그를 좋아한다.

565.

He sent me a message <**that** he would come back (soon)>.
<u>S</u> <u>V</u> <u>IO</u> <u>DO</u>   (동격) <u>S</u> <u>V</u>

직독직해 그는 / 보냈다 / 나에게 / 곧 돌아오겠다는 메시지를

해 석 그는 내게 곧 돌아오겠다는 메시지를 보냈다.

566.

Sleep enables the body to remove the harmful products.
S   V   O   OC

직독직해 수면은 가능하게 한다 / 몸이 / 유해한 물질들을 제거하도록

해 석 수면은 몸이 유해한 물질들을 제거하도록 한다.

567.

The drop of the test scores (over the past few decades) supports this view.
S   V   O

직독직해 시험 점수 하락이 / 지난 몇십 년간의 / 지지한다 / 이러한 관점을

해 석 지난 몇 십 년간의 시험 점수 하락이 이러한 관점을 지지한다.

568.

This sense of being separate (from the rest of the universe), often leads to a feeling of
S   V   O
loneliness.

직독직해 분리되어 있다는 이러한 느낌은 / 우주의 나머지로부터 / 종종 초래한다 / 외로움이라는 감정을

해 석 우주의 나머지로부터 분리되어 있다는 이러한 느낌은 종종 외로움의 감정을 초래한다.

569.

The computer will drive the car (down the road) (at a speed of 120 miles an hour).
S   V   O

직독직해 그 컴퓨터는 / 차를 운전할 것이다 / 도로를 따라서 / 시속 120마일의 속도로

해 석 그 컴퓨터는 도로를 따라서 시속 120마일로 차를 운전할 것이다.

570.

A number of listening tests contain short statements (in the form of instructions or dictations).
S   V   O

직독직해 많은 듣기 시험들은 / 짧은 진술들을 포함한다 / 지시나 명령의 형태로 된

해 석 많은 듣기 시험들은 지시나 명령의 형태로 된 짧은 진술들을 포함한다.

571.

A ray of light [passing through the center of a thin lens] keeps its original direction.
S   V O

직독직해 빛의 광선은 / 얇은 렌즈의 중심을 관통하는 / 그것의 원래 방향을 유지한다

해 석 얇은 렌즈의 중심을 관통하는 빛의 광선은 그것의 원래 방향을 유지한다.

572.

A young man may spend 30 minutes (watching a leaf [carried down a sidewalk (by a gentle breeze)]).
S   V O

직독직해 한 젊은 남자가 / 30분을 보낼 수도 있을 것이다 / 한 나뭇잎을 보는 것에 / 보도에 떨어진 / 미풍에 의해

해 석 한 젊은 남자가 미풍에 의해 보도에 떨어진 한 나뭇잎을 보는 것에 30분을 보낼 수도 있을 것이다.

영어는 중요한 것이 문장 앞부분에 나온다

573.

Park Ji-sung fights for the ball (with an Angolan player) (during their international
friendly football match) (at Sangam World Stadium) (in South Korea).

직독직해 박지성이 / 볼을 놓고 다툰다 / 앙골라 선수와 / 국제 친선 축구 시합 중에 / 상암 국제 경기장에서 / 한국에 있는

해 석 박지성이 한국 상암 국제 경기장에서 벌어지는 국제 친선 축구 시합 중에 앙골라 선수와 볼을 놓고 다툰다.

574.

(In China) it can be illegal to talk to a foreign press (about the protest) [that has taken
place (in the country)].

직독직해 중국에서는 / 불법일 수 있다 / 〈뭐가?〉 외국 언론에 말하는 것이 / 시위에 관하여 / 그 나라에서 일어난

해 석 중국에서는 그 나라에서 일어난 시위에 관하여 외국 언론에 말하는 것이 불법일 수 있다.

575.

The Eskimos resemble a group of Asian people.

직독직해 에스키모인들은 / 닮았다 / 한 무리의 아시아인들을

해 석 에스키모인들은 한 무리의 아시아인들을 닮았다.

The Eskimos [living in the Arctic today] resemble a group of Asian people [known as
Mongolians].

직독직해 에스키모인들은 / 오늘날 북극에 살고 있는 / 한 무리의 아시아인들과 닮았다 / 몽골인으로 알려진

해 석 오늘날 북극에 살고 있는 에스키모인들은 몽골인으로 알려진 한 무리의 아시아인들과 닮았다.

576.

There was a tragic piece of news <**that** a very fat neighbor dieted herself (to death)>.
　　V　S　　　　　　　　　　　(동격) S　　　　　　　　　　V　　O

직독직해 있었다 / 한 비극적인 뉴스가 / 〈그 뉴스는〉 매우 뚱뚱한 한 이웃이 / 다이어트를 하다 죽었다

해석 매우 뚱뚱한 한 이웃이 다이어트를 하다 죽었다는 한 비극적인 뉴스가 있었다.

There was a tragic piece of news <**that** a very fat neighbor, [whose sole wish was
　　V　S　　　　　　　　　　　(동격) S₁　　　　소유격 관·대 S₂　　V₂
to lose weight], dieted herself (to death)>.
SC₂　　　　　V₁　　O₁

직독직해 있었다 / 한 비극적인 뉴스가 / 〈그 뉴스는〉 매우 뚱뚱한 한 이웃이 / 〈그런데 그녀의〉 유일한 소망이 / 체중을 줄이는 것이었다 / 다이어트를 하다 죽었다

해석 체중을 줄이는 것이 유일한 소망이었던 매우 뚱뚱한 한 이웃이 다이어트를 하다 죽었다는 한 비극적인 뉴스가 있었다.

577.

She paused (at the restaurant window), wrapping her coat collar high (around her neck).
S　V

직독직해 그녀는 / 식당 유리창 앞에서 멈추었다 / 그녀의 코트 깃을 높이 세우고 / 목 주위로

해석 그녀는 목 주위로 코트 깃을 높이 세우고 식당 유리창 앞에서 멈추었다.

직독직해를 위한 6가지 skills

578.

Researchers [who studied behaviors (on people) [working at least 30 hours a week]]
S 　　　　S관·대 V　　　O

found the incredible facts.
V　　　O

직독직해 연구원들이 / 행동을 연구했다 / 사람들에 대해 / 주당 최소한 30시간씩 일하는 / 〈그 연구원들이〉 놀라운 사실을 알아냈다

해 석 주당 최소한 30시간씩 일하는 사람들의 행동을 연구한 연구원들이 놀라운 사실을 알아냈다.

579.

A series of high-profile cases [involving the loss of computer discs (by Government
S

departments)] has left many police forces having to rethink the way [they carry
V　　O　　　　　　　　　OC　　　　　　　　　S　V

confidential information].
O

직독직해 일련의 세간의 이목을 끄는 사건들이 / 컴퓨터 디스크의 분실을 포함하는 / 정부 기관에 의한 / 〈그 사건들은〉 많은 경찰들에게 남겼다 / 그 방식을 다시 생각하도록 / 〈그런데 그 방식으로〉 그들이 기밀 정보를 전달한다

해 석 정부 기관의 컴퓨터 디스크 분실을 포함하여 일련의 세간의 이목을 끈 사건들은 경찰들로 하여금 그들이 기밀 정보를 전달하는 방식을 다시 생각해보게 했다.

580.

To think of the future (in relation to the present) is essential to civilization.
S　　　　　　　　　　　　　　　　　　　　　　V SC

직독직해 미래에 대해 생각한다 / 현재와 관련지어 / 〈그것은〉 문명에 있어 필수적이다

해 석 현재와 관련지어 미래에 대해 생각하는 것은 문명에 있어 필수적이다.

581.

To be brave (especially) (in front of women) is a lifelong goal (for most of the
S　　　　　　　　　　　　　　　　　　　　V SC

gentlemen).

직독직해 용감해진다 / 특히 여성들 앞에서 / 〈그것은〉 평생의 목표다 / 대부분의 신사들에게

해 석 대부분의 신사들에게 특히 여성들 앞에서 용감해지는 것이 평생의 목표다.

582.

(To get some wisdom from superstitions), you need a good education (from the intelligent people).
to부정사(목적)
S V O

직독직해 지혜를 얻는다 / 미신으로부터 / 〈그러기 위해〉 당신은 / 좋은 교육이 필요하다 / 지성인들로부터

해　석 미신으로부터 지혜를 얻기 위해서 당신은 지성인들로부터 좋은 교육을 받아야 한다.

583.

to부정사(목적)
(To help a stranger find a street or a railway station, or to answer any questions [that
V O OC O관·대
he may ask]), have you ever stopped walking (to spare your time (for him)))?
V S O to부정사(목적)

직독직해 낯선 사람이 길이나 기차역을 찾는 것을 돕는다 / 또는 그가 물어볼 어떤 질문들에 대답한다 / 〈그러기 위해〉 당신은 있는가 / 멈추어본 적이 / 걷는 것을 / 그에게 시간을 할애하기 위해

해　석 낯선 사람이 길이나 기차역을 찾도록 돕거나 그가 물어볼 어떤 질문들에 답변해주기 위해서 길을 가다 멈추고 그를 위해 시간을 할애해 준 적이 있습니까?

584.

(To be the best writing), concrete words are better than abstract ones, and the shortest
to부정사(목적) S₁ V₁ SC₁ S₂
way of saying anything is always the best.
V₂ SC₂

직독직해 최고의 글이 된다 / 〈그러기 위해〉 구체적인 말이 / 추상적인 말보다 더 좋다 / 그리고 가장 간결한 방법으로 말하는 것이 / 항상 가장 좋다

해　석 최고의 글이 되기 위해서는 추상적인 말보다는 구체적인 말이 더 좋고 가장 간결하게 말하는 것이 항상 가장 좋다.

585.

Predicting interview questions and thinking about answers (in advance) will help you
S   V   O
feel more confident.
OC

직독직해 면접 질문을 예상한다 / 그리고 그 답에 대해 미리 생각해 본다 / 〈그것은〉 당신을 도와줄 것이다 / 좀 더 자신감을 가지도록

해 석 면접 질문을 예상하고 그 답에 대해 미리 생각해 보는 것은 당신이 좀 더 자신감을 가지도록 도와줄 것이다.

586.

Downloading music (illegally) (from the Web) is causing serious damage (to the
S   V   O
music industry).

직독직해 음악을 다운로드 받는다 / 인터넷에서 불법으로 / 〈그것은〉 심각한 손실을 야기하고 있다 / 음반 업계에

해 석 인터넷에서 불법으로 음악을 다운로드 받는 것은 음반 업계에 심각한 손실을 야기하고 있다.

587.

Reducing stress, (through meditation, exercise, deep breathing, yoga, or <**whatever**
S
works for you>), may help ease your symptoms.
                  V   O

직독직해 스트레스를 줄이다 / 명상, 운동, 심호흡, 요가 / 또는 당신에게 효과가 있는 모든 것을 통해 / 〈그것은〉 당신의 증상을 완화하는 것을 도울 수 있다

해 석 명상, 운동, 심호흡, 요가 또는 당신에게 효과가 있는 모든 것을 통해 스트레스를 줄이는 것은 당신의 증상을 완화하는 데에 도움이 될 수 있다.

588.

Keeping (in mind) <**that** they are dependent (on the other people) (for having happy
                       S   V   SC
lives)>, the rich should be willing to help the poor.
         S   V   O

직독직해 명심한다 / 그들이 의존한다는 것을 / 다른 사람들에게 / 행복한 삶을 위해 / 〈그런〉 부자들은 / 가난한 사람들을 기꺼이 도와주려 해야 한다

해 석 행복한 삶을 위해 다른 사람들에게 그들이 의존한다는 것을 명심하면서, 부자들은 기꺼이 가난한 사람들을 도와주려 해야 한다.

589.

Eating the cherry pie, I struck several pits and nearly broke a tooth.
        S   V₁   O₁   V₂   O₂

직독직해 체리 파이를 먹는다 / 〈그런〉 나는 / 몇 개의 씨를 깨물어서 / 거의 이가 부러질 뻔했다

해　석 나는 체리 파이를 먹다가 씨 몇 개를 깨물어서 이가 거의 부러질 뻔했다.

590.

Working with researchers (from Chicago University), Bronks has designed its products
                                                   S   V   O
[to meet the special biomechanical needs of men and women].

직독직해 연구원들과 함께 작업하다 / Chicago 대학의 / 〈그런〉 Bronks는 그것의 제품을 디자인해왔다 / 남녀의 특별한 생체 역학적인 필요를 만족시키는

해　석 Chicago 대학의 연구원들과 작업하면서, Bronks는 남녀의 특별한 생체 역학적인 필요를 만족시키는 제품들을 디자인해왔다.

591.

Wind and rain (continually) hit against the surface of the Earth, breaking large rocks
S   V   O
(into smaller and smaller particles).

직독직해 바람과 비는 계속해서 / 지구의 표면을 강타했다 / 〈그러면서〉 큰 바위를 깨서 / 점점 더 작은 입자로 만들었다

해　석 바람과 비는 계속해서 지구의 표면을 강타했고, 그것은 결국 큰 바위를 깨서 점점 더 작은 입자로 만들었다.

592.

A tsunami is strong enough to destroy objects (in its path), (often) reducing buildings
S   V   SC
(to their foundations) and scouring exposed ground (to the bedrock).

직독직해 쓰나미는 / 충분히 강하다 / 그것의 진로에 있는 물체들을 파괴할 만큼 / 〈그러면서〉 종종 빌딩들을 토대까지 무너뜨리고 드러난 땅을 암반까지 벗겨낸다

해　석 쓰나미는 그것의 진로에 있는 물체들을 파괴할 만큼 충분히 강한데, 종종 빌딩들을 토대까지 무너뜨리고 드러난 땅을 암반까지 벗겨낸다.

593.

Schools should stick to academics, leaving moral education (to the parents and the community).
S   V   O

직독직해 학교는 / 학업에 전념해야 한다 / 〈그러면서〉 도덕 교육은 학부모와 지역 사회에 맡긴다

해 석 학교는 도덕 교육은 학부모와 지역 사회에 맡기고, 학업에 전념해야 한다.

594.

Employers look for employees [supporting each other, taking pride in their work, and encouraging a pleasant working environment].
S   V   O

직독직해 고용주는 / 직원들을 찾는다 / 〈그런데 그 직원이란〉 서로를 격려하고 / 일에 긍지를 가지며 / 그리고 유쾌한 근무 환경을 조성하는

해 석 고용주는 서로 격려하고, 자신의 일에 긍지를 가지며, 유쾌한 근무 환경을 조성하는 직원을 찾는다.

595.

We (simply) do not have the technology [to travel to the nearest star (in a human lifetime)].
S   V   O

직독직해 우리는 / 그저 가지고 있지 않다 / 기술을 / 〈그런데 그 기술이란〉 가장 가까운 별로 여행가는 / 사람의 일평생 동안

해 석 우리는 그저 사람의 일평생 동안 가장 가까운 별로 여행갈 수 있는 기술을 가지고 있지 않다.

596.

Rueven has developed a program [that involves hundreds of hours of special tutoring].
S   V   O   S관·대 V   O

직독직해 Rueven은 / 프로그램을 개발했다 / 〈그런데 그 프로그램은〉 수백 시간의 특별 지도를 포함한다

해 석 Rueven은 수백 시간의 특별 지도를 포함하는 프로그램을 개발했다.

597.

Our incredible growth rate leads to a continuous recruitment of ambitious programmer
analysts [who have the desire [to make a significant contribution to an expanding
company]].

직독직해 우리의 놀랄 만한 성장률은 / 이끈다 / 패기 있는 프로그램 분석가들의 지속적인 신규 채용을 / 〈그런데 그 프로그램 분석가들은〉 열망을 가지고 있다
/ 발전하고 있는 회사에 중요한 기여를 하고자 하는

해　석 우리의 놀랄 만한 성장률은 발전하고 있는 회사에 중요한 기여를 하고자 하는 열망을 가진 패기 있는 프로그램 분석가들의 지속적인 신규 채용을 이끈다.

598.

The United States of America became the place [where millions of expatriates (from
all European countries) were searching for free economic evolvement].

직독직해 미국은 / 장소가 되었다 / 〈그런데 그곳에서〉 모든 유럽 국가들에서 온 수백만 명의 국외 거주자들이 / 자유로운 경제적 발전을 추구하고 있었다

해　석 미국은 모든 유럽 국가들에서 온 수백만 명의 국외 거주자들이 자유로운 경제적 발전을 추구하는 장소가 되었다.

599.

Although her daughter waited upon her (day and night) (with loving care), she got
worse and worse, *until* (at last) there was no hope [left].

직독직해 비록 그녀의 딸이 / 그녀를 시중들었다 / 밤낮으로 애정 어린 간호로 / 〈그렇지만〉 그녀는 / 더욱더 병이 악화되었다 / 마침내 / 가망이 없게 되었다

해　석 그녀의 딸이 밤낮으로 애정 어린 간호로 그녀를 시중들었지만, 그녀는 더욱더 병이 악화되어 마침내 가망이 없게 되었다.

600.

Because diamonds can only be scratched (by other diamonds), it maintains its polish
  S   V   S   V   O
(extremely well), keeping its luster (over long periods of time).

직독직해 왜냐하면 다이아몬드는 오직 다른 다이아몬드에 의해서만 긁힐 수 있다 / 〈그렇기 때문에〉 그것은 / 유지한다 / 그것의 광택을 매우 잘 / 〈그러면서〉 그
것의 윤기를 오랜 시간에 걸쳐 유지한다

해 석 다이아몬드는 오직 다른 다이아몬드에 의해서만 긁히기 때문에, 윤기를 오랜 시간에 걸쳐 유지하면서 광택을 매우 잘 유지한다.

Staff

Writer	심우철
Director	김지훈
Researcher	노윤기 / 정규리 / 장은영
Design	강현구
Manufacture	김승훈
Marketing	윤대규 / 한은지 / 장승재

발행일   2022년 11월 10일 (3쇄)

내용문의 http://cafe.naver.com/shimson2000